はじめに

こ の本は、『地球の超絶現象最驚図鑑』と、難しい漢字が並びますが、一言で言うと「地球ってすごい」ということを伝えたいのです。写真で現象を大きく見せ、わかりやすい説明や図を入れています。「天空の驚愕世界」、「山と大地の驚愕世界」、「未知なる水中世界」、「雪と氷の驚愕世界」、「謎と神秘の宇宙世界」の5つの章に分け、地球上でドラマチックに起こる現象をたくさん集めました。

こうして地球を眺めると、地球は大きな生き物ではないかと思ってしまいます。生物という章がないにも関わらず、こう

して動いているさまざまな現象に驚きます。冷えて死んでしまったような月に対し、地球は今まさに生きているのです。

私もアラスカから南極までの各地で、いろいろな驚くシーンに出合い、興奮してきました。日本国内で感動した現象もたくさんあります。そして、さまざまな現象を実際に確認し、撮影し、調べることが、長い人生の目標にもなりました。

みなさんも、こうしたいろいろな自然現象を、実際に見たい、体験したいと思うでしょう。自然は美しさだけでなく、怖さもあるということを忘れず、本などから正しい知識を学び、それぞれの現象についてアプローチの方法を考えてみてください。「地球ってすばらしい」、きっとそう思いますよ。

武田康男

Contents

イントロマンガ：
身近にもある！ 地球のスゴい現象

1章
「天空の驚愕世界」の大冒険

- マラカイボの灯台 16
- イカリア島の稲妻 18
- アスペラトゥス雲 20
- スプライト 22
- ハブーブ 24
- スーパーセル 26
- トルネード 28
- 水上竜巻 30
- モーニンググローリー 32
- シェルフ雲 34
- 乳房雲 36
- レンズ雲 38
- ブロッケン現象 44
- オーロラ 46
- ホワイトレインボー（白虹） 48
- ムーンボウ（月虹） 50
- 太陽柱 52
- 天使の梯子 54
- 幻日 56
- 天割れ 57
- ビーナスベルト 58
- 環天頂アーク 60
- 環水平アーク（ファイヤーレインボー） 62
- スカイパンチ（穴あき雲） 64
- 肱川あらし 66
- 塵旋風（つむじ風） 68
- 火災旋風 70
- 蜃気楼 72
- 変形太陽 74
- ケルビン・ヘルムホルツ雲 76
- 光環 78

2章

「山と大地の驚愕世界」の大冒険

火山雷 80

溶岩湖 82

キラウエアの溶岩 84

火映 86

マグマ 88

プリニー式噴火 94

火山灰 96

火砕流 98

ラハール（火山泥流） 100

3章

「未知なる水中世界」の大冒険

渦潮 102

海底火山 104

ポロロッカ（海嘯） 106

波の花 108

ピンク色のヒリアー湖 110

高潮 112

血の滝 114

虹色の温泉 116

潮汐 118

熱水噴出孔 120

ポットホール（おう穴） 122

4章

「雪と氷の驚愕世界」の大冒険

雪崩 124

スノードーナツ（雪まくり） 126

棚氷 128

氷山 130

氷河の大崩落 132

ペニテンテ 134

アイスタワー 136

ダイヤモンドダスト 138

ホワイトアウト 140

ブリザード 141

樹氷 146

アイスモンスター	148
フロストフラワー	150
しぶき氷	152
流氷	154
幻氷	156
ジュエリーアイス	158
御神渡り	160
アイスバブル	162
氷紋	164
ハス葉氷	166

5章
「謎と神秘の宇宙世界」の大冒険

彗星	168
ペルセウス座流星群	170
メテオクレーター	172
アフリカの目（リシャット構造）	174
台風	176
クラウドストリート	178
火球	180
カルマン渦	182
白夜	184

コラム①いろいろあるぞ！ ふしぎな雲の写真	40
コラム②地球は生きている！ 世界のスーパー活火山	90
コラム③未知の世界！ 面白い南極	142
コラム④見え方がこんなに変わる！ 太陽と月の写真	186
さくいん	190

この本の見方

現象名
地球で起こる様々な現象の名前を記しています。

現象
現象を簡単に解説しています。

スポット
代表的なスポットを紹介しています。

パラメータ
「レア度」「インパクト」「危険度」「不思議度」に分けて独自に評価しています。一番すごいのが「5」になります。

ピックアップ
特徴的な内容をピックアップして紹介しています。

写真
その現象の代表的な写真をピックアップ!

デンジャラスマーク
中でも危険性の高い現象にはこのマークが付いています。

DANGER
生命の危険あり!

1章

「天空の驚愕世界」の大冒険

1日に数千発！世界一の雷多発地帯！
マラカイボの灯台

🄵 **現象**：1日に何千発もの雷が発生し、音が聞こえないものもある。雷を発生させる積乱雲ができやすい環境などが原因と考えられている。

🌐 **スポット**：南米ベネズエラの北西部マラカイボ湖付近で、春から秋に発生。

DANGER
生命の危険あり！

音の聞こえない雷も観測される
この近辺の特殊な地形や、朝夕の寒暖差などによって、雷の原因の積乱雲が発生しやすい。中には音のない雷も観測されるが、距離が遠いためと考えられる。

2014.10.24 撮影 ベネズエラ・マラカイボ湖

マラカイボを広くとらえた写真。同時にいくつも稲妻が落ちているのがわかる。

2013.6.5 撮影 ベネズエラ・マラカイボ湖

Lighthouse of Maracaibo

レア度	インパクト	危険度	不思議度

マラカイボ湖に注ぐ川の一つカタトゥンボ川の河口付近では、1年のうち240日ほど夜から明け方にかけて無数の稲妻が光る。雷は雲の中にできた静電気が放たれる現象だ。この周辺の特殊な地形などによって、雷の原因となる積乱雲が発生しやすいのが原因のひとつとされるが、まだ完全には解明されていない。

1章「天空の驚愕世界」の大冒険

1日に数千回の雷が発生！
4月から11月にかけての夜に、1日に最大数千回も光る。世界一稲妻が集中している場所としてギネスブックにも載っている。

雷の光が灯台がわりに！
15〜17世紀の大航海時代、この稲妻は灯台がわりに目印になっていた。そのため、この雷はマラカイボの灯台と呼ばれている。

特殊加工でマジカル驚愕写真
イカリア島の稲妻

- **現象**：稲妻は、積乱雲の中で氷の粒がこすれ合い発生した静電気により、雲と地面との間などで電流が流れ光や音が出る現象。
- **スポット**：ギリシア、エーゲ海北東部にあるイカリア島。

1分間に1つ以上の稲妻
イカリア島で真夜中におきた激しい雷雨のときに撮影されたものだ。撮影した83分で100以上の稲妻が光ったという。

撮影日不明　ギリシャ イカリア島
写真：Chris Katsiopoulos/ アフロ

Lighthouse of Maracaibo

| レア度 | インパクト | 危険度 | 不思議度 |

この写真は、カメラを三脚で固定しながら20秒間シャッターを開いた状態での撮影を90回行い、そのうちの70枚の写真を重ね合わせたものだ。撮影の時間は83分で、1枚の写真に複数の稲妻が映ったものも多かったという。そこから、複数の稲妻が同時に発生し、短時間の間に何発も連続で起こっていることがわかる。

1章「天空の驚愕世界」の大冒険

稲光と音
まるで空が怒りを爆発させているかのように、数えきれないほどの稲妻が映っている。

世界の終わりのような不気味にうねる雲
アスペラトゥス雲

- **現象**：雲の底が波打っているような形をしている。大気が不安定なときに発生するといわれているが、その原因はいまだ謎だ。
- **スポット**：ヨーロッパ、ニュージーランド、アメリカなど、世界中の空にできる。

新種の雲として登録！
アスペラトゥス雲は、雲の新種として、国連の専門機関である世界気象機関（WMO）の国際雲図帳に2017年に追加された。

雲の表面が波打つ
大きな波のような形をするアスペラトゥス雲。規則的に波打っていたり、渦巻きになっていたり、その形はいろいろある。

2016.7.9 撮影 場所不明

Asperitas clouds

レア度	インパクト	危険度	不思議度

まるで空に海があるかのように、雲が波打っている。この写真のような雲を「アスペラトゥス雲」と呼ぶ。大きなかたまりのうねるような波から、細切れの小さな波まで、その形はさまざま。大気が不安定なときにできると考えられているが、くわしいことはあまりよくわかっていない。

1章「天空の驚愕世界」の大冒険

2012.6.29 撮影 アメリカ・イリノイ州
写真：Jim Simonson

同じ種類の雲とは思えないほど、実に多彩な表情を見せる雲だ。

一瞬しか見えない妖精のような光

スプライト

- **現象**：大規模な雷の発生時、その上空で起こる発光現象。スプライトの光は、赤色で妖精のような形をしている。
- **スポット**：雷雲の数十km上空で見ることができる。

高さ50〜90kmで光る
雷雲はふつう高くても雲の頂上が十数kmだが、スプライトが発生するのは、そのはるか上空だ。

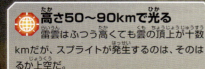

2016.11.25 撮影 茨城県鉾田市

sprite

| レア度 | インパクト | 危険度 | 不思議度 |

雷がおきたときに、雲のはるか上空で光る現象のひとつで、赤く発光し、集まって見えるのがスプライトの特徴だ。また、スプライトは妖精という意味だが、その名前の通り、どこかかわいらしい姿をしている。はじめて発表されたのは1989年と比較的最近。光るのはほんの一瞬のため、撮影するのはむずかしい。

1章「天空の驚愕世界」の大冒険

雷の発光現象は他にもある

雷とほぼ同時に上空で起こる発光現象には、スプライトの他にも、ブルージェット（青い発光現象）、エルブス（ドーナツ型のもの）などがあり、色や形、発生する高度、発光時間などが変わるんだ。

光る時間はほんの一瞬

スプライトの発光時間は、数十分の1秒くらいと、とても短い。瞬きをする間に見過ごしてしまうほどだ。

ハブーブ

日本の半分が隠れるくらいの超巨大な砂嵐

- 🌀 **現象**：砂漠地帯でみられる巨大な砂嵐のことで、積乱雲が発生したときの、下へ向かって流れる気流が原因で起こる。
- 🌐 **スポット**：アラビア半島やアメリカ南西部などの砂漠地帯で発生。

高さは1500～2500m！
高さは超高層ビルどころではなく、山くらいの高さになる。視界がなくなり、飛行機も飛べなくなってしまう。

幅1000kmがおおわれる！
サハラ砂漠の南部では、幅が1000kmになることも。1000kmというと、東京と北海道の網走を直線距離で結んだ長さだ。

DANGER
生命の危険あり！

2012.7.21 撮影 アメリカ・アリゾナ州

haboob

レア度 インパクト 危険度 不思議度

サハラ砂漠などの砂漠地帯では、ハブーブとよばれるものすごい巨大な砂嵐が起きることがある。これは積乱雲の下で発生する強い下降気流（ダウンバースト）などによって、砂漠の砂やちりが巻き上げられて起きるんだ。広い地域が砂嵐でおおいつくされ、まわりの景色は何も見えなくなってしまう。

1章「天空の驚愕世界」の大冒険

2009.9.23撮影 オーストラリア・シドニー

砂嵐によって視界がさえぎられ、橋の対岸は全く見えない。

25

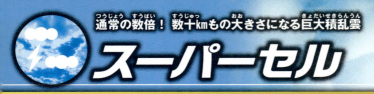

スーパーセル

通常の数倍！数十kmもの大きさになる巨大積乱雲

- **現象**：通常の積乱雲は上昇気流と下降気流がぶつかりやがて小さくなるが、スーパーセルはぶつからずに巨大化して、通常の数倍のサイズになる。
- **スポット**：地形に、気温や水蒸気、風などの条件がそろうと発生する。

上昇気流によって発生する積乱雲は、発達すると雨粒が落ちるのといっしょに下降気流が生まれて上昇気流と下降気流が打ち消し合うため、それほど大きくならない。ところが、スーパーセルは、上昇気流と下降気流が別の場所にできてぶつからないため、どんどん雲が大きくなっていくのだ。

DANGER
生命の危険あり！

超巨大で長寿命
ふつうの積乱雲の寿命は長くて1時間、大きさは十数kmまで。スーパーセルは数時間も持続し、大きさは数十kmにおよぶ。

2009.2.13 撮影 アメリカ ネブラスカ州

supercell

| レア度 | インパクト | 危険度 | 不思議度 |

スーパーセルのしくみ

まずは、雲ができるしくみ。地上があたたまって、しめった空気による上昇気流が発生する。その空気が上空で冷やされ、空気中の水蒸気が水滴や氷の粒となって、雲ができる。このとき地上と上空の温度差がはげしく、急激な上昇気流が発生すると、巨大な積乱雲のスーパーセルが誕生することがあるんだ。

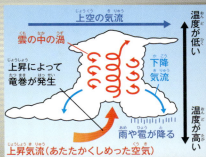

上空の気流
雲の中の渦
下降気流
上昇によって竜巻が発生
雨や雹が降る
上昇気流（あたたかくしめった空気）
温度が低い
温度が高い

1章「天空の驚愕世界」の大冒険

自動車や建物も吹っ飛ぶスーパー気流！
トルネード

- **現象**：スーパーセルと呼ばれる巨大な積乱雲が上空に発生したときに、その上昇気流によって作られる渦だ。その破壊力は絶大。
- **スポット**：主に北アメリカで発生するが、日本でも起きている。

撮影日不明 アメリカ・ワイオミング州

スーパーセルができやすい、トルネード多発地帯のアメリカ中西部は、トルネード街道と呼ばれる。

秒速100mを超える風速
台風と比べてサイズは小さいけれど、その風速はものすごく速い。並の台風とは比べ物にならないくらいの破壊力だ。

撮影日不明 アメリカ・ニューメキシコ州

tornado

| レア度 | インパクト | 危険度 | 不思議度 |

DANGER
生命の危険あり！

台風と同じように大気中にできる渦だが、台風の大きさが数百kmサイズなのに対して、トルネードの大きさは数百mほど。しかし、狭い範囲とはいえその破壊力は絶大で、トルネードに巻き込まれてしまうと、建物がこわれたり、車が吹き飛んだりするなど、大きな被害が出ることがある。

上空にはスーパーセル
スーパーセル（P26）は超巨大な積乱雲のこと。スーパーセルができたらその下にトルネードが発生する危険性がある。

1章「天空の驚愕世界」の大冒険

29

水上竜巻

海上で同時多発的に発生する竜巻!

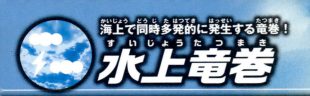

- **現象**：水上で発生する竜巻のことで、海上で発生する積乱雲などにともなう上昇気流から発生する。複数の竜巻が同時に発生することもある。
- **スポット**：比較的暖かい海の上で、寒気がやってきた場所。

DANGER
生命の危険あり!

水煙を立ち上げ移動する
強力な渦によって、海の水をかき回して、水煙を立ち上げながら水上竜巻は移動する。陸上に上がることはないようだ。

2013.2.8 撮影 イタリア・サルディーニャ

waterspout

レア度	インパクト	危険度	不思議度

アメリカでは、トルネードよりも弱い竜巻を「スパウト」といい、海などの水上でみられるものはウォータースパウトと呼ばれる。陸地でできるトルネードと比べるとサイズは小さく直径は数mから100mほどで、威力も比較的弱い。とはいえ、海上の小さな船が出くわしてしまったら、簡単に吹き飛ばされてしまうだろう。

2002.12.23 撮影 鹿児島県与論島

日本を始めとした世界中のさまざまな場所で発生する。

1章 「天空の驚愕世界」の大冒険

海の魚も巻き込む？
陸上で空から魚が降る現象が起こるが、これは水上竜巻が原因ともいわれる。竜巻で上空に飛ばされた魚が陸上に落ちてくるというわけだ。

モーニンググローリー
1000kmの長さの移動するヘビのような雲!?

- **現象**：その長さは1000kmにおよぶこともある、とてつもなく長いロール状の雲ができる現象。朝方にできることが多いといわれる。
- **スポット**：オーストラリア北部のカーペンタリア湾の他、世界各地でも発生。

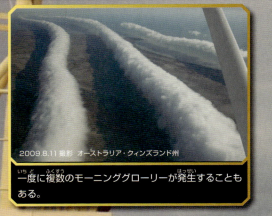

2009.8.11 撮影 オーストラリア・クィーンズランド州

一度に複数のモーニンググローリーが発生することもある。

長さはなんと1000km！
東京から鹿児島の直線距離くらいの長さの雲になる。カーペンタリア湾はコの字型の湾で、1辺が約600〜700kmにおよぶ。

2012.3.6 撮影 ブラジル・パラナグア

Morning Glory Cloud

レア度	インパクト	危険度	不思議度

オーストラリアの北部にあるカーペンタリア湾という大きな湾で、9月から11月によく発生する雲だ。オーストラリアは南半球で日本とは季節が反対なので、その時期は春にあたる。海と陸の風がぶつかり合う前線に、気流や温度などの気象条件がそろった朝方、モーニンググローリーが発生するとされる。

1章「天空の驚愕世界」の大冒険

高速で移動する！
この長いロール状の雲は、そこにとどまっているわけではなく時速数十kmで移動。昼ごろ、温度が上がって来ると消えてしまう。

33

シェルフ雲

都市に襲いかかるような巨大な空の波!?

- 🌩 **現象**：発達した積乱雲から出る冷たい下降気流が、まわりの暖かい空気とぶつかる場所であるガストフロント（突風前線）などにできる。
- 🌐 **スポット**：積乱雲のそばにできる雲のため、世界中で見られる。

2012.5.15 撮影 アメリカ フロリダ州

巨大な生き物が押し寄せるような不気味な雲だ。

天気が急にかわる
この雲が通り過ぎるときには、気温が低くなったり、突風が吹いたり、天気や天候が急変することが多いぞ。

2009.2.13 撮影 アメリカ ネブラスカ州

34

shelf cloud

レア度	インパクト	危険度	不思議度

積乱雲が発達すると、雨が降るのにともない、冷たい空気の下降気流が発生する。地面にぶつかった冷たい空気は広がり、まわりにあるあたたかい空気とぶつかり、その部分を「ガストフロント（突風前線）」と呼ぶ。ここで、あたたかい空気が冷たい空気の上にあがってできるのがシェルフ雲だ。

呼び名がさまざま

シェルフ雲（棚）という呼び方の他に、アーク雲（弧）やアーチ雲（門）とも呼ばれる。

1章「天空の驚愕世界」の大冒険

35

何かが生まれてきそうな不穏な雲
乳房雲

- **現象**：丸いこぶ状のふくらみがいくつも並んでいる雲。雲の中の下降気流と、雲の下の上昇気流が雲の底で衝突することによって形づくられている。
- **スポット**：巻積雲、積乱雲、高層雲、高積雲、層積雲などの雲底にできる。

🌐 沈み込みコブができる

雲の中に冷たい水分をたくわえるため、まわりの空気より冷たくなって、沈み込むような下降気流が起き、こぶ状の雲ができる。

冷たい水の粒　　雲の中

温度が低くなり、沈み込む　　乳房雲の突起

2013.8.30 撮影　アメリカ・サウスダコタ州

mammatus

レア度	インパクト	危険度	不思議度

こぶ状の雲がいくつもたれ下がっているこの雲は、動物の乳房のような形にみえることから「乳房雲」とも呼ばれている。写真のような迫力のあるこぶがみられるのは、積乱雲の雲底にできる乳房雲だ。
この現象は、雲の底の部分で、雲の中の下降気流と、その下の上昇気流がぶつかり合って起こる現象だ。

1章「天空の驚愕世界」の大冒険

2013.10.19 撮影　千葉県

身近でも見られる可能性がある。

レンズ雲

山の近くにできるUFOのような雲!?

- **現象**：山を越えた気流が上昇したところにできる雲。下から上に重なり、何層にも増えることがある。
- **スポット**：富士山などの山の風下側の空で発生する。

2011.4.26 撮影 富士山

2013.3.26 撮影 場所不明

レンズ雲が次々と重なってできたつるし雲。

Lenticularis

レア度	インパクト	危険度	不思議度

水蒸気をたくさん含んだ空気が上昇して冷えると雲ができる。レンズ雲は、山を越えて吹き降りた風がもう一度上昇したときにできるレンズ型の雲だ。そんなレンズ雲が、下から次から次へと重なっていき、まるでUFOのような不思議な形になることもあるが、そのような雲はつるし雲と呼ばれる。

🌐 レンズの形の雲

レンズ雲は、上昇気流で山を越えたり、下降気流で下がったところで、山を回り込む風によってできた上昇気流で再び押し上げられたりする雲だ。

⚠ レンズ雲のなかま「笠雲」と「つるし雲」

レンズ雲が発生したとき、山の頂に笠をかぶるようにできると「笠雲」と呼ばれる。レンズ雲が次々と発生し山の近くで重なると「つるし雲」と呼ばれるようになる。その両方の雲が同時に見えると雨が近いと言われている。

つるし雲発生の仕組み

笠雲　　つるし雲

山体を回り込む風　　上昇気流

➡ 雲の流れ　➡ 上昇気流をおこす風の流れ

1章「天空の驚愕世界」の大冒険

39

いろいろあるぞ！
ふしぎな雲の写真

身の回りにはこれまで紹介したシェルフ雲やレンズ雲だけではなく、面白い雲がまだまだたくさんあるんだ。

おもしろい雲、見てみたい！

これは「彩雲」だよ

彩雲

わぁすごい。水の中に絵の具を落としたみたい！

そうだね。この雲は光の回折（P44、P78）という現象で、色がついた雲なんだ。

ヒカリノカイセツ？

たしか、雲の水や氷の粒で、太陽の光が曲がり、色ごとに分かれてしまう現象だったね。

 これは**「かなとこ雲」**と呼ばれているよ。てっぺんが平らな雲だ。

🟨 かなとこ雲

これは夏の暑いときにみたことがある！

 積乱雲が大きくなったものなんだ。高さが10kmをこえると横に広がってこんな形になるんだ。

なんだか、キノコみたい。

今度はあまり身近じゃないけどちょっと不思議な雲だ。**「真珠母雲」**っていうんだ。

真珠母雲

彩雲に似ているね。すごいなぁ、虹色の雲だ！

でも彩雲とはちがう雲なんだよ。ふつうの雲はだいたい高さ10kmより下にできるんだけど、真珠母雲はもっと上、高さ20〜30kmにできる雲なんだ。

隣町の、おばあちゃん家くらいだね。

もっと上にできる雲もある。これは**「夜光雲」**。高さ80kmくらいのところにできるんだ。

▌夜光雲

夜のような、朝のような、不思議な世界！ 見てみたい！

残念だけど真珠母雲や夜光雲を日本で見ることはできないんだ。北極や南極に近い高緯度地域に行かないとね。

いつか行ってみたいな！

自分の影が虹色の光に包まれる不思議現象!?
ブロッケン現象

- 現象：霧や雲などに、自分の影が映り込み、そのまわりに虹色の輪が見える現象のことだ。光が小さな粒子に当たると回り込む、光の回折によって起きる。
- スポット：高い山の上や湖で、朝や夕方に見ることができる。

見えるのは自分の光輪だけ!?
何人かで並んでいるとき、見えるのは自分の周りの光輪だけ。決まった角度からだけ見えるしくみなんだ。

妖怪と虹!?
霧に映る自分の影は「ブロッケンの妖怪」、光輪は「ブロッケンの虹」ともよばれ、両方をあわせてブロッケン現象だ。

2009.8.15撮影　長野県・美ヶ原高原

Brocken spectre

レア度　インパクト　危険度　不思議度

山の上などで太陽を背にした状態のとき、霧や雲に自分の影が映り、影のまわりに虹色の輪（光輪）が見えることがある。これがブロッケン現象だ。光は小さな粒に当たると回り込む性質がある（光の回折）。霧や雲をつくる小さな水滴に太陽の光が当たり、光が回り込んで曲がったときに、光が何色にも分かれ丸い虹のように見えるんだ。

2013.9.26撮影　場所不明

飛行機に乗っているときに、運が良ければ見られることもある。

1章「天空の驚愕世界」の大冒険

「ブロッケン」って何？

ドイツにあるブロッケン山でよく見られるために、ブロッケン現象という名前になったんだよ。

オーロラ

夜空に浮かび上がる美しすぎる光のカーテン！

- 📖 **現象**：太陽から飛んでくる電気を持った粒子（荷電粒子）が地球の大気の中にある原子・分子とぶつかって発光する現象のこと。
- 🌐 **スポット**：アラスカやカナダ北部、北欧などの高緯度地域。

> 🌐 **色のちがいはどうやっておきる？**
> 飛んでくる荷電粒子のスピードや、ぶつかる原子や分子の種類によって、オーロラの色はさまざまに変わるんだ。

2015.3.18撮影　フィンランド

aurora

| レア度 | インパクト | 危険度 | 不思議度 |

暗い空に緑色や赤色に輝くオーロラ。カーテン状のものや、放射状にみえるものなど、形もさまざまだ。太陽からは、陽子や電子という、電気を帯びた小さな粒が飛んでくる。それらのつぶが地球の大気中にある酸素や窒素の原子や分子とぶつかって光が発生するんだ。

高さ100〜500kmくらいで光る

オーロラが光っているのは、雲よりもはるか上。国際宇宙ステーション（400km上空にある）と同じくらいの高さだ。

日本でもオーロラは見える!?

北海道でまれに見られるほか、数十年に一度本州でも見られる。西暦720年にできた『日本書紀』にもオーロラを見た記録が残るんだ。

1章「天空の驚愕世界」の大冒険

2017.3.2撮影 アラスカ

様々な色や動きのオーロラがある。一生に一度は見てみたい自然現象だ。

47

ホワイトレインボー（白虹）

色はどこに行った？ 世にも珍しい真っ白な虹

- **現象**：見た目は通常の虹のような形をしているが、全体の色が真っ白の虹が出る現象。霧の日に太陽の光を受けて発生する。
- **スポット**：太陽とともに霧や雲が出ている場所で見られる。

霧のときに発生する

とても珍しい現象だから出会うのは難しいかもしれないが、発生するのは霧や雲とともに太陽が出たときだ。

2010.9.4撮影 アメリカ・アイオワ州

fog bow

レア度	インパクト	危険度	不思議度

雨上がりなどに見られる一般的な七色の虹は、比較的大きな水滴が空中に浮かんでいるときに現れる。ところが、この水滴がとても小さいと、七色にはならずに全体が白い虹になってしまうことがある。霧が出たときによく見られるため「霧虹」と呼ばれ、雲にできるときは「雲虹」ともいう。

1章「天空の驚愕世界」の大冒険

太陽の位置も重要
太陽との位置関係も大事だ。太陽を背にして、霧のほうを見たときに、ホワイトレインボーを見られるときがあるぞ。

49

ムーンボウ(月虹)

月の光でできるという奇跡の虹！

- **現象**：満月などの明るい月の光によってできる虹のこと。色や形は、通常の虹とほぼ同じだ。ただし光が弱くて、色が淡く見える。
- **スポット**：満月など明るい月が低空にある雨上がりや滝など。

2012.4.9撮影 ジンバブエ・ヴィクトリアの滝

明るい満月の頃の夜に現れることがある非常に珍しい虹だ。

滝のそばでも発生
水しぶきを上げている滝のそばで、ムーンボウを見られることがある。とても幻想的な光景だ。

2012.4.9撮影 ジンバブエ・ヴィクトリアの滝

moonbow

レア度	インパクト	危険度	不思議度

太陽の光ではなく、月の光でも虹ができるときがあるんだ。太陽光でできる虹は太陽の反対の方角に現れるが、ムーンボウも同じように月の反対の方角に現れるんだ。ただし満月だとしても、太陽にくらべれば月の光はとても弱いため、実際にみるのはとても難しい現象だ。

虹ができるしくみは同じ
昼間にみえる虹と同じように、ムーンボウは、月の光が水滴の中で屈折・反射して起きる。

1章 「天空の驚愕世界」の大冒険

丸いはずの太陽が、上下に伸びちゃった!?
太陽柱
たいようちゅう

- **現象**：太陽の光が上下方向に、まるで柱のように伸びてみえる不思議な現象で、空から舞い降りる氷の粒に反射して起こる。
- **スポット**：太陽が出ていて、氷の粒が空を舞っている場所。

2008.7.18撮影 南極
写真：第50次南極観測隊

人工の灯りによってできた光柱という現象もあり、光が長く伸びる。

氷の粒に反射
氷の形や反射の仕方でもっと細長く伸びるときもある。ちなみに月の光でも同じ現象がおこり、「月柱」や「月光柱」と呼ばれる。

2011.12.31撮影 東京

sun pillar

レア度	インパクト	危険度	不思議度

太陽柱は、六角形の平らな氷の粒が木の葉のようにひらひらと上空から舞い落ちているときに、その表面で太陽の光を反射して起こる現象のことだ。まるで、太陽が引き伸ばされたように長く見える。時刻としては、朝方や夕方など、太陽が水平線や地平線に近いときにみえることが多いんだ。

1章 「天空の驚愕世界」の大冒険

街灯でも起きる！
太陽や月のような自然の光だけでなく、街灯など人工的な光でも起きることがある。すべてをまとめて「光柱」ともいうんだ。

本当に天使が降りてきそうな幻想的な光！
天使の梯子

- **現象**：雲の切れ間などからもれた太陽の光が、地上に向かって降り注ぐ現象。まるで天から伸びる階段のように見える。
- **スポット**：雲が出ている朝や夕方に見られる。

雲の間から射しこむ
厚い雲と雲の間や雲にできたすき間を、太陽の光が通って、細長い光のすじが作られるんだ。

2009.12.05撮影 京都

angel's ladder

| レア度 | インパクト | 危険度 | 不思議度 |

雲の切れ間からもれた光が、空気中にあるとても小さな水の粒などに反射して光ってみえる現象を「薄明光線（光芒）」というんだ。比較的厚い雲に太陽が隠れているときに起きる。その中で特に、光や影のすじが地上に伸びてくるものを天使の梯子と呼ぶんだ。とても神秘的な光景だ。

なぜ天使の梯子？

天使の梯子という呼び名は、旧約聖書に出てくる天使が上り下りする梯子の話がもとになっているんだよ。

1章 「天空の驚愕世界」の大冒険

実は光は平行

光は広がって見えるけれど、実は遠近感のためにそう見えるだけで、本当は平行な光線なんだ。

太陽の左右に浮かび上がる謎の光!?
幻日

parhelion

- **現象**：太陽の左右のややはなれたところが光で明るくなる現象。六角形のダイヤモンドダストなどの柱のような氷の粒の屈折によって起こる。
- **スポット**：太陽が出ている場所で、朝か夕方に見られる。

レア度　■■■■
インパクト　■■■
危険度　■■
不思議度　■■■■

2009.11.28撮影 南極
写真：第50次南極観測隊

虹のような色がつく
ときには虹のような色がついて見えることもあるんだ。そのさいは、太陽から遠いところが青色で、近いところが赤色になる。

太陽の左右22度
氷の粒の中で屈折する角度の関係で、太陽と自分を結ぶ線から、左右に約22度の場所にできるんだ。

幻日は、すじ雲（巻雲）やうす雲（巻層雲）など、高いところにある雲の向こうに太陽があるときにも現れやすい。太陽光が氷の粒の中で屈折して、太陽のはなれた場所で光る現象だ。月の明かりでも起こることがあり、その現象は「幻月」と呼ばれている。

まさか、天が真っ二つに裂けてしまったの!? *heaven cracking*

天割れ

現象：雲によって太陽の光がさえぎられて影になり、まるで空が割れているかのようにみえる現象のこと。

スポット：遠くに大きな雲が出ている、日の出や日没のころに見える。

レア度	インパクト	危険度	不思議度

日が沈むと終わり
日没ごろによく見え、太陽が沈んだあと、空全体が暗くなって、天にできた割れ目もなくなっていくんだ。

1章「天空の驚愕世界」の大冒険

2016.9.6撮影　日本

日の出のころや日が沈むころ、太陽の方向に巨大な積乱雲などがあると、太陽の光の一部がその雲にさえぎられて、空の一部が暗くなることがあるんだ。雲の影以外の部分は明るいので、まるで空が割れたようにみえる。「天割れ」や「後光」などと呼ばれている現象だ。

ビーナスベルト
女神ビーナスのような美しいピンクの空！

- **現象**：日の出直前や日没直後に、太陽の反対側の空がピンク色に染まる現象のこと。これは夕日や朝日の光が空の空気に映り込んだものだ。
- **スポット**：朝は西の空、夕方は東の空に見える。

美しいピンク色
この美しいピンク色は、朝日や夕日などの太陽の光の色（朝焼けや夕焼け）が空気に映し出されたものなんだ。

2017.2.27撮影　飛行機から・太平洋上空

こちらは朝方に、飛行機の窓から撮影したビーナスベルト。

2012.11.19撮影　長野県・高ボッチ高原

Belt of Venus

レア度　インパクト　危険度　不思議度

金星と関係あるの？

金星は英語でビーナスだけれど、ビーナスベルトとは関係ないんだ。ビーナスベルトは太陽と反対方向にみえる現象だけど、金星は日の出前や日没後に太陽と同じ方向に見えるんだ。

1章「天空の驚愕世界」の大冒険

見られるのは朝と夕方

ビーナスベルトが見られるチャンスは1日2回。ただし、晴れて空気がすんでいるときにしか見ることができない。

地平線近くの青っぽい部分は、地球の影が空の空気に映ったもので「地球影」と呼ばれる現象。その上にみえるピンク色の部分がビーナスベルトだ。朝日や夕日の赤っぽい光が、上空の空気に映ってピンク色になっているものなんだ。どちらの現象も空がスクリーンのような役割をしているんだ。

環天頂アーク

ビックリ仰天！空高くに現れる逆さの虹！

- 現象：太陽の高さが低いときに、高い空に現れる七色のアーチ。通常の虹とは反対方向に弧を描いている。
- スポット：朝や夕方など太陽が低い位置にあるとき、空高いうす雲に発生。

虹とは色の順番も逆

虹は下が青で上が赤だが、環天頂アークは下が赤で上が青になっているんだ。つまり、同じ色と形で反転しているんだ。

環天頂ってどういう意味？

天頂、つまり空の真上をとりまく（環となった）光だから、「環天頂」というんだ。

2010.11.16撮影 京都

circumzenithal arc

| レア度 | インパクト | 危険度 | 不思議度 |

通常の虹は、地上などにある水の粒に、太陽の光が反射・屈折して発生するんだ。それとはちがって、環天頂アークの場合は、上空にある雲の中の氷の粒に太陽の光が屈折して起きる現象なんだ。虹ができる場所が地上付近であるのに対し、環天頂アークは空の高いところで、形も逆さまになるんだ。

1章「天空の驚愕世界」の大冒険

朝方や夕方に見るチャンスがある珍しい逆さの虹。

何故にまっすぐ!? 一直線の奇妙な虹！
環水平アーク（ファイヤーレインボー）

- **現象**：太陽が高い位置にあって、地平線に近いところで、太陽の光が雲の氷の粒に屈折して、水平な七色の帯が現れる現象。
- **スポット**：日本では夏至の前後半年の間、見ることができる。

太陽と同じ方角に出る
虹は太陽とは反対の方角に現れるけれど、環水平アークは太陽と同じ方角に現れるんだ。

circumhorizon arc

レア度	インパクト	危険度	不思議度

環水平アークは、別名ファイヤーレインボーともいわれる現象だよ。環天頂アークと同じように、雲の中の氷の粒で太陽の光が屈折しておきる現象なんだ。通常の虹が弧を描いているのに対して、環水平アークは、ほぼ水平にまっすぐに伸びる形が特徴だ。中には直線にはならない断片的な環水平アークもあるんだ。

1章「天空の驚愕世界」の大冒険

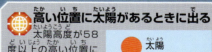
高い位置に太陽があるときに出る

太陽高度が58度以上の高い位置にあるときに、地平線とほぼ平行に、一文字の虹色の帯が現れる。

2013.1.24撮影 アメリカ・コロラド州

スカイパンチ（穴あき雲）

何が起きた!? 雲にぽっかり空いた不思議な穴

- **現象**：雲の一部に、ぽっかりと穴が開く現象。雲の中にある過冷却という状態の水滴が、刺激を受けて氷の粒になると、そのまわりの雲が消えていく。
- **スポット**：巻積雲などの雲に発生する現象。

この現象は、巻積雲や高積雲などの雲の中で発生するんだ。雲をつくる粒には0℃以下なのにこおらない（過冷却）水滴がある。そんな過冷却の水滴は、ちょっとした刺激でこおってしまう。何らかの刺激が生じて、雲の一部がこおってしまったとき、まわりの水滴の雲が蒸発し、氷の粒が落ちていくことで、そこだけ穴が開いてしまうんだ。

2015.10.1撮影 場所不明

fallstreak hole

| レア度 | | | インパクト | | | 危険度 | | | 不思議度 | | |

1章 「天空の驚愕世界」の大冒険

飛行機が原因のことも

飛行機の排気に含まれるとても小さな粒がきっかけで、過冷却の水滴の雲が消えていき、穴あき雲ができることもある。

肱川あらし
霧が川を下って、海までたどり着く!

- **現象**：盆地で発生した霧が、肱川に沿って海まで下っていく現象。川は数kmにわたって霧でおおわれてしまう。
- **スポット**：愛媛県大洲市を流れる肱川で秋から冬に見られる。

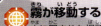
霧が移動する
山に囲まれた場所でできた霧が、川に沿って移動して海にたどりつく。

2015.1.21撮影　愛媛県・大洲市

なし

レア度	インパクト	危険度	不思議度

肱川は、四国の愛媛県西部を流れて瀬戸内海に注ぐ川。10月ごろから翌年3月ごろにかけての朝、肱川の中流にある大洲盆地で発生した霧が、強風とともに川を下っていくのが肱川あらしとよばれる現象だ。肱川あらしがおきると、肱川の河口にある長浜町は霧でおおわれてしまうんだ。

1章 「天空の驚愕世界」の大冒険

海の沖合数kmまで広がる
海までたどり着いた霧は、海上を扇の形に広がっていくんだ。すごいときには沖合数kmまで霧が到達することもあるぞ。

67

塵旋風（つむじ風）

学校の校庭でも発生！悪魔の「つむじ風」!?

- 現象：竜巻は空に積乱雲があるときに発生するが、塵旋風は空気があたためられることによってどこでも発生する。
- スポット：砂漠のほか、学校の校庭や空き地などでも発生。

太陽の日射などで地面があたためられると、地面の近くの空気もあたたかくなり、上昇気流ができる。そのときに何かの原因で渦が発生すると、旋風になることがある。この砂や塵を巻き込んだ旋風のことを塵旋風と呼ぶんだ。竜巻とのちがいは、上空に積乱雲がなくても発生することだ。

左右どちらにも回転する
北半球で発生する台風は必ず反時計回りになるが、塵旋風は時計回り、反時計回りのどちらのパターンもある。

2013.11.10撮影 ナミビア

砂煙を巻き上げる砂漠で発生したつむじ風。

ちりの悪魔!?
塵旋風は、英語では「dust devil＝ちりの悪魔」と呼ばれているんだ。昔の人は悪魔がいたずらしていると思ったのかもしれない。

dust devil

レア度　インパクト　危険度　不思議度

1章「天空の驚愕世界」の大冒険

高さ数百mになることも！
高さはふつう30mに届かないが、大きなものでは数百mになることもあるんだ。

2013.2.21撮影　ニュージーランド ワイカト

火災旋風

燃えさかる炎から生まれる危険なつむじ風！

- **現象**：大規模な火災のときに発生するつむじ風のこと。炎を巻き込みながら移動する旋風だ。
- **スポット**：山や町など大規模な火災で発生する。

DANGER
生命の危険あり！

火を巻き込む旋風
火によって発生した上昇気流で生まれた旋風。竜巻のように回転しながら移動するんだ。

2003.10.26撮影　アメリカ カリフォルニア州

fire whirl

| レア度 | インパクト | 危険度 | 不思議度 |

山などで火災が発生すると、燃えさかる火によって、その一帯の温度が上がる。まわりの空気が集まり、上に昇ろうとする上昇気流が発生する。そのときに渦を巻いた旋風が発生することがある。これが火災旋風だ。この旋風は、火を巻き込んでいるのでとても危険だ。

1章「天空の驚愕世界」の大冒険

地震による火災でも起こる!?
地震などによって大規模な火災が起きて、火災旋風が発生することがある。1923年の関東大震災では、100か所以上で火災旋風が起きたんだ。

蜃気楼

遠くのものが変化して見える謎の現象！

- **現象**：温度の差で空気の密度にちがいが生まれ、光の曲がり方が変わり、遠くのものが浮き上がったり逆さに見えたりする現象。
- **スポット**：富山湾などの海のほか、砂漠でも起こる。

いろいろな見え方

あたたかい空気の上に、冷たい空気があるときは遠くのものが浮かんで見えたり逆さに見える。逆だと、遠くにあるものが縦に伸びたり、上下逆さに見えるんだ。

蜃気楼はハマグリのせい？

「蜃」は大ハマグリ、「楼」は高い建物という意味の文字。昔は大ハマグリが「気」というエネルギーをはくことで、高い建物が現れると考えられていたことから、中国で蜃気楼という名前がつけられたんだ。

撮影日不明　グリーンランド

mirage

レア度	インパクト	危険度	不思議度

海の上にやや冷たい空気があるとき、その上に暖かい空気が陸地からやってくると、その境目で光が曲がり、遠くの物体が浮かび上がって見える。また、暖かい海の上を冷たい風が吹くと、その境目で光が曲がり、物体の下に空が入って浮かんで見えるんだ。

遠くのものが蜃気楼になる

遠くにあるほど、形が伸びたり変化は大きくなるんだ。双眼鏡があるとより見やすくなって便利だ。

1章「天空の驚愕世界」の大冒険

撮影日不明 カタール

蜃気楼は海だけでなく、砂漠や道路でも発生する。

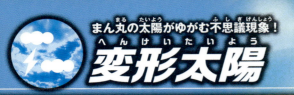

変形太陽
まん丸の太陽がゆがむ不思議現象！

- **現象**：まん丸のはずの太陽が変形してみえる現象。これは大気の密度のちがいによって、光の曲がり方が変わるために発生。
- **スポット**：日の出や日没、太陽が地平線や水平線に近いとき。

2013.3.15撮影 北海道

丸い太陽が四角い形に見える「四角太陽」。

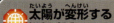

太陽が変形する
大気の密度のちがいが大きいと、光の曲がり方が変わり、太陽がさまざまな形にゆがんで見える現象が起きるんだ。

2009.7.23撮影 南極
写真：第50次南極観測隊

Deformation sun

レア度 ■■□□□　インパクト ■■■■□　危険度 ■□□□□　不思議度 ■■□□□

地平線近くにある太陽がつぶれて見えることがある。これは地球の大気は上空にいくほどうすく密度が小さくなり、光が密度の小さい方を通るように曲がるために起こる。太陽の下側と上側の密度の差で、光の曲がり方が変わることで太陽がゆがんでみえるんだ。蜃気楼などの現象が重なると、ダルマや四角い形になることも。

1章「天空の驚愕世界」の大冒険

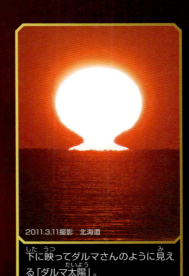

2011.3.11撮影　北海道

下に映ってダルマさんのように見える「ダルマ太陽」。

（注意）太陽を肉眼で直接見ては絶対にダメだ。見るときは必ず観察用の道具を使おう。

空から不可思議な波がやってきた!?
ケルビン・ヘルムホルツ雲

- **現象**：波のように、渦を巻いた雲が並んでいる現象。空気の密度や風速の違いなどによって起こる。
- **スポット**：空に雲があり、大気中で条件がそろったときに発生。

渦巻き模様
密度と速度がちがう大気が接すると、渦が並んでできる。そこに雲があると、その流れが形になって見えるんだ。

撮影年時不明 スウェーデン
写真：GRAHAMUK

青空に渦を巻いた雲が一直線上に連なる。

撮影年時不明 アメリカ・サンフランシスコ
写真：GRAHAMUK

Kelvin-Helmholtz cloud

レア度 ／ インパクト ／ 危険度 ／ 不思議度

空を見上げたときに、まるで規則的な波が現れたかのような、渦を巻くような雲がいくつも並んでいることがある。この雲の名前は、ケルビン・ヘルムホルツ雲。雲の上の方と下の方とで、空気の密度や風速がちがうときに、その境界が不安定な大気の状態になって起こる現象だ。

飛行機がゆれる！
この雲ができるところでは空気が渦を巻くように流れているから、近くを飛行機で通るときはとてもゆれることがあるぞ。

1章「天空の驚愕世界」の大冒険

2008.10.09撮影 オーストラリア・ニューサウスウェールズ州
写真：Kr-va

イギリスのケルビン卿と、ドイツのヘルムホルツという二人の科学者の名前にちなんだ雲だ。

77

光環(こうかん)

太陽や月の周りにできる天使の輪! *corona*

- **現象**:薄い雲などの向こうに太陽があるとき、その周りに虹色の環がかかる現象。月や街灯でも同じ現象が起こる。
- **スポット**:薄い雲や霧の向こうに太陽などがあるとき。

レア度 ■■■□□　インパクト ■■■□□　危険度 ■□□□□　不思議度 ■■□□□

2011.7.24撮影 場所不明

光が回り込んで進む
太陽の光が、雲や霧をつくる微粒子にぶつかると回折が起きる。月の光で起こることもあるんだ。

花粉の光環もあるよ!
粒の中で屈折して起きる現象ではないので、たくさんの粒があれば、透明でない花粉でも起きるんだ。

なぜ虹色に見える?
太陽の光が大気中の微粒子を回り込んで曲がる時、光に含まれる色の成分によって曲がり方が違うために、いろいろな色に分かれ虹色に見えるんだ。

光はものに当たったときに回り込もうとする「回折」という性質がある。太陽が雲や霧でおおわれたとき、虹色の輪がかかる光環は、太陽の光が雲の中の水の粒などを回折することで起きている。また光環は七色に見えることもあり、内側が青色で、外側が赤色で、虹と同じ配色なんだ。

78

2章

「山と大地の驚愕世界」の大冒険

火山雷

火山の噴煙で発生する不思議な稲妻！

- **現象**：火山が噴火したときに、火山灰がこすれ合うことで静電気が起こり、噴煙の中やそのまわりで発生する雷のこと。
- **スポット**：火山が噴火したときの噴煙の中などで起こる。

2011.6.6 撮影 チリ プジェウエ＝コルドン・カウジェ火山群

まるで地獄のような光景だ。

DANGER
生命の危険あり！

2010.12.28 撮影 鹿児島県 桜島

dirty thunderstorm

レア度	インパクト	危険度	不思議度

火山の噴煙の中で雷がおきることがあり、それを火山雷と呼ぶ。ふつうの雷は、雲の中にある氷の粒などがこすれあって静電気を帯びて、それが地面や雲の中に流れて発生している。一方、火山雷は、氷の粒のかわりに、噴火が起こったときに吹き飛ぶ火山灰などがこすれ合って静電気を帯びて起きるんだ。

2章「山と大地の驚愕世界」の大冒険

火山灰などによって発生！
火山の噴火によって発生した火山灰などがこすれあって静電気を帯び、それが噴煙のまわりに放たれて発生している。

日本の火山でも発生！
鹿児島県の桜島や長野県と群馬県の県境にある浅間山など、日本の火山が噴火したときにも火山雷は観測されているぞ。

まるで地獄のような灼熱の湖
溶岩湖

- **現象**：火山の火口に溶岩がたまって、溶岩の湖のようになったもの。溶岩湖がある火山は世界でも数少ない。
- **スポット**：ニイラゴンゴ火山やハワイのキラウエア火山など数か所しかない。

2011.12.15 撮影エチオピア エルタ・アレ火山

溶岩湖では、マグマがぐつぐつと煮えたぎる。

DANGER
生命の危険あり！

2011.1.21 撮影　コンゴ ニイラゴンゴ山

lava lake

| レア度 | インパクト | 危険度 | 不思議度 |

こ こはアフリカ大陸中部のコンゴにあるニイラゴンゴ山の火口で、アフリカ大陸にある火山の中で最も活発に活動する火山の一つ。頂上にある火口にはまるで湖のようにマグマがたまっており、このような火口は溶岩湖と呼ばれているんだ。ニイラゴンゴでは、溶岩が流出してふもとの町に被害をもたらすなど、危険な場所でもある。

溶岩が湖のようにたまる
活発に活動する火山の火口などで、湖のように溶岩がたまっている場所は、溶岩湖と呼ばれ、温度は1000℃程度だ。

2章「山と大地の驚愕世界」の大冒険

日本にもあるの？
長い間溶岩湖ができている火山は日本にはないが、伊豆大島の三原山などで、一時的に溶岩湖ができたことはある。また、富士山の山頂にある火口も、大昔に溶岩湖があったらしい痕跡が残っているんだ。

キラウエアの溶岩

生活する場所や海にも溶岩がおそう!?

- 現象：アメリカ、ハワイ島にあるキラウエア火山から流れ出る溶岩。海に流れ込む溶岩や冷え固まったものも見られる。
- スポット：アメリカ、ハワイ島。

ハワイ諸島というと海のリゾートというイメージが強いかもしれないが、実はすべてが火山活動でできた島なんだ。なかでもキラウエア山はハワイ諸島の中で現在活動している火山で、ハワイ島の南側にある標高1247mの世界で最も活発な火山の一つだ。舗装道路まで溶岩が流れ出すなど、人々が生活する場所にも火山の影響が見られるぞ。

2008.2.1 撮影 ハワイ キラウエア火山

溶岩が海に流れ込むと、海水が熱せられて激しく蒸気が立ちのぼる。

2008.2.1 撮影 ハワイ キラウエア火山

冷えて固まった溶岩の上を歩いたり、流れている溶岩を遠くから見られたり、火口見学などもできる。

溶岩が噴き出す！
キラウエアとは、ハワイ語で「噴き出す」とか「大きく広がる」とかという意味の言葉だ。

lava from Kilauea(?)

レア度　インパクト　危険度　不思議度

2章「山と大地の驚愕世界」の大冒険

2006.5.14 撮影　ハワイ キラウエア火山

火映（かえい）
マグマが映し出す怪しい赤い光！

- 現象：火口のマグマや高温の溶岩が、雲などを照らして赤くみえる現象。大変珍しい現象のため、日本では10年に一度みられるかどうかだ。
- スポット：夜に噴火活動している火山の上空。

雲や噴煙に映る
マグマの赤い色が、まるで映画のスクリーンのように、雲や噴煙に浮かび上がっている。

2015.4.24 撮影　ハワイ・キラウェア火山　写真：skeeze

volcanic red glow

レア度　インパクト　危険度　不思議度

夜、噴火する火山の上空が、赤く不気味に染まることがあり、このような現象を火映と呼ぶんだ。これはマグマの熱が雲や噴煙などを照らし、赤く浮かび上がっているために起こっている。本格的な噴火をしていなくても、火口に溶岩がたまっているときに火映がみられることもあるんだ。

2章「山と大地の驚愕世界」の大冒険

2006.2.10 撮影 ハワイ・キラウェア火山

山頂に火が付いたような、まるでロウソクの火のような火映だ。

火山噴火の前兆！
火映がみられるときは、火山が噴火しているか、噴火しそうなときだ。大変危険なので近づくのは厳禁だ。

マグマ

噴火と一緒に飛び出す高熱ドロドロの岩石

- **現象**：地下の岩石がとけてできたマグマが、地表に出てくると圧力が下がって、内部の水蒸気などが噴き出し噴火する。
- **スポット**：噴火によってマグマが出る山。

マグマの赤い色

マグマの温度はだいたい1000℃くらい。熱によって、マグマはとても温度が高くなっているために赤く光っているんだ。

2011.12.13 撮影 エチオピア エルタ・アレ火山

溶岩湖から噴き出し、しぶきをあげるマグマ。

2014.9.3 撮影 アイスランド バルダルブンガ山

magma

| レア度 | インパクト | 危険度 | 不思議度 |

DANGER
生命の危険あり！

地下のマグマには高い圧力がかかっていて、たくさんの水蒸気などのガス成分が溶けているんだ。でも、マグマが上昇して地表に出てくると、圧力が下がって溶けていた水蒸気が泡になる。そうするとマグマの体積が一気に大きくなり、マグマが噴き出してくるというわけだ。

マグマからできた軽石
火山の噴火で出てきた石の中に「軽石」とよばれる穴だらけの石がある。この穴は、マグマに含まれていたガス成分が、噴火で地表に出たときにふくらんだ泡のあとなんだ。

2章 「山と大地の驚愕世界」の大冒険

炭酸飲料と同じしくみ
炭酸飲料は、栓をしている間は圧力が高く、炭酸ガスが溶けていられるけど、栓を抜くと圧力が低くなり溶けていられなくなって泡になって出てくるんだ。

89

地球は生きている！
世界のスーパー活火山

ここでは、最近噴火したことがある世界各地の火山の写真を紹介しよう。

日本には火山がとても多いよね。

そうだね。日本には100以上の火山があるんだ。世界中の火山の1割近くが日本にあるといわれている。これは鹿児島にある**桜島**が2013年に噴火したときのようすだ。

桜島

わあ、すごい。溶岩が流れ出している。

世界をみると、太平洋を取り囲むように火山が分布しているんだ。2015年に大噴火した**カルブコ山**は、南アメリカのチリ、アンデス山脈にある火山だよ。

カルブコ火山

すごい噴煙だなぁ。

こちらは北アメリカの**セント・ヘレンズ山**。

セント・ヘレンズ山

写真：Lyn Topinka

なんだか富士山みたいなきれいな山ね。

この山が1980年に大噴火を起こし、山体崩壊で山の形が変わってしまったんだ。

セント・ヘレンズ山

火山ってすごいパワー。山がくずれたのね。

次は、東南アジアのフィリピンにある**ピナツボ山**の噴火のようすだ。1991年に20世紀で最大規模の噴火をおこしたときの写真だ。

ピナツボ火山

辺り一帯は、火山灰で埋まってしまうね。

太平洋のまわり以外にも火山はある。溶岩湖（P82）で紹介したニイラゴンゴ山のあたりも火山が多い地域なんだ。ヨーロッパにもあるぞ。下の写真はイタリアのシチリア島にあるエトナ山の噴火だ。

エトナ山

わぁ！ マグマの噴水みたい！

火山のエネルギーって、本当にすごいなぁ。

カリフラワーのような雲を生むことも！
プリニー式噴火

- **現象**：芙蓉山（ロシア名サリチェフ山）でおきた、キノコのような噴煙を起こす、非常にはげしい噴火。
- **スポット**：千島列島（クリル諸島）の松輪島で発生。

⚠ **DANGER**
生命の危険あり！

噴煙と白い綿のような雲
噴煙の上の方にみえる白いかたまりは、噴煙に含まれていた水蒸気が冷えて、雲のようになったものだ。

2009.6.14 撮影　千島列島・芙蓉山　写真：NASA

94

Sarychev Peak

レア度 インパクト 危険度 不思議度

こ こで取り上げるのは、2009年6月、千島列島にある芙蓉山で起こった噴火だ。ここでは勢いよく噴き出す噴煙と一緒に白いものができ、まるでカリフラワーのような形をしている。これは、噴煙の中に含まれていた水蒸気が、気温の低い上空で冷やされて雲のような状態になっているんだ。

2章 「山と大地の驚愕世界」の大冒険

日本人宇宙飛行士が撮影

この写真は、国際宇宙ステーションから宇宙飛行士の若田光一さんが撮影したものだ。

95

火山灰

数百kmまき散らされる溶岩の小さな粒子

- **現象**：火山の噴火によって放出されたものの中で、直径2mm以下の細かい粒子のことを火山灰と呼ぶ。
- **スポット**：噴火した火山の周辺で、風に乗って広い範囲に届く。

火山灰は「灰」じゃない！
火山灰は、溶岩がとても細かくなったものだ。だから紙を燃やしたときなどに出る灰とはまったくちがうものだぞ。

2006.5.23 撮影 アラスカ クリーブランド山

上空から見た火山。火山灰がかたまりのようにたちのぼる。

2010.5.2 撮影 アイスランド エイヤフィヤトラヨークトル火山

volcanic ash

レア度 ■■□□□　インパクト ■■■■□　危険度 ■■■□□　不思議度 ■■■□□

2章「山と大地の驚愕世界」の大冒険

🌐 大きさで呼び名が変わる
直径2mm以下は火山灰、直径2mmから64mmは火山礫、それ以上のものは火山岩塊と呼ぶんだ。

⚠ 飛行機が飛べなくなる
火山の噴火で火山灰が大気中にばらまかれると、飛行機は危なくて飛ぶことができない。2010年にアイスランドのエイヤフィヤトラヨークトル火山が噴火したときには、ヨーロッパで何万便もの航空機が欠航になって大混乱になったんだ。

火山が噴火したときには、大きな岩石からとても小さな粒まで、いろいろなサイズのものが噴出する。火山灰はそのうち、2mm以下の粒のことを指すんだ。噴火が起こった周辺一帯は、この火山灰でおおわれてしまうこともある。火山灰は、風に飛ばされて数百km以上も遠くまで飛ぶこともあるぞ。

97

火砕流

火山灰や溶岩が山を下り、街を飲み込む!?

- **現象**：高温のガスや火山灰、溶岩のかたまりなどが、ひとまとまりになって高速で山を流れ下る現象のこと。
- **スポット**：火山の噴火で発生し、甚大な被害を及ぼす。

1984.9.23 撮影 フィリピン マヨン山
写真：Chris Newhall

火砕流は、まるで雪崩のように斜面を下っていく。

時速は数十から数百km!
下り落ちるスピードはさまざまだが、車や新幹線なみのスピードで山の斜面を流れ落ちていく。

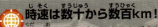
2015.4.1 撮影 インドネシア シナブン山

DANGER
生命の危険あり！

98

pyroclastic flow

レア度　インパクト　危険度　不思議度

🌐 **温度は数百℃！**
火砕流が流れると、地表にある植物などはすべて焼き払われてしまう。

2章「山と大地の驚愕世界」の大冒険

火口から出た溶岩が盛り上がって、溶岩ドームというかたまりができることがある。そのような溶岩ドームがこわれて、噴き出した溶岩と一緒に山を下り落ち、火砕流となることがある。また、火口から大きな噴煙が上がったときに、噴き出した溶岩とともに火山灰などが一緒にすべり落ち火砕流が起きることもある。

99

火と水が一緒に起こす恐怖の泥流！

lahar

ラハール（火山泥流）

- 現象：火山礫や火山灰などの火山砕屑物が、水といっしょになって山の斜面などを流れ落ちる現象のこと。
- スポット：火山から出たものが何らかの理由で水と混ざると発生。

レア度／インパクト／危険度／不思議度

雪山は要注意？
雪や氷河におおわれている火山では、噴火によって雪や氷河がとけて火山灰などといっしょになって、ラハールが発生することもある。

時速数十kmで下る！
ラハールは、自動車並の時速数十kmの速さで山の斜面をいきおいよく下るんだ。

1983 撮影 インドネシア・ガルグン山
写真：Robin Holcomb.

1919年、インドネシアのケルート山の噴火で初めて調査され、インドネシア語の「ラハール」と名前がつけられたんだ。

DANGER
生命の危険あり！

1982.3.21 撮影 アメリカ セント・ヘレンズ山

火山灰などが混ざった泥水が山を流れ落ちる現象で、火山泥流と呼ばれる。噴火と同時に起きることもあるが、噴火で火山灰などが積もったあとで雨が降ったり、火砕流が川に流れ込んで起きたり、火口が湖になっているような火山が噴火して起きたりもするんだ。

渦潮(うずしお)

船をも飲み込む!? 恐怖の海の渦

- **現象**：海の満ち潮と引き潮などの影響によって、海の高さに違いが出るなどして、海にできる渦のこと。
- **スポット**：世界各地の海。日本では鳴門海峡の渦潮が有名。

世界三大潮流!

鳴門海峡、イタリアのメッシーナ海峡、アメリカのセイモア海峡で発生する渦潮が、世界三大潮流と呼ばれている。

春と秋の大潮が勢いあり!

満月や新月のころには、潮の満ち引きの差が大きくなる（大潮という）。鳴門の渦潮は、春と秋の大潮のときにとくに大きくて速いものが見られるぞ。

DANGER
生命の危険あり！

2015.11.16 撮影 徳島県 鳴門海峡

102

whirling waves

レア度 | インパクト | 危険度 | 不思議度

徳島県鳴門市孫崎と淡路島の間にある鳴門海峡は渦潮で有名なスポットだ。この鳴門の渦潮は、潮の満ち引きの影響で、鳴門海峡の北側と南側の間で海面の高さに差ができることが原因で渦潮ができることが知られている。渦潮は世界各地の海にあるが、巻き込まれると船が転覆するなど海難事故の恐れがある。

渦潮の速さと大きさ

渦は速い時で時速20kmになることがある。さらに、渦潮の大きさは、最大で約20mにもなることがある。

3章 「未知なる水中世界」の大冒険

海底火山
浅い海底火山は大爆発のおそれあり！

- 現象：海底火山が噴火を起こした場合、深い海は水圧で抑えられることもあるが、浅い海は大爆発の危険も。
- スポット：海底でマグマが出るところ。

浅いところだと水蒸気爆発！
水が水蒸気になると体積は1700倍。浅いところで海底火山からマグマが出ると、その中の水分や、マグマに触れた海水が一気にふくらんで大爆発を起こすことも。

DANGER
生命の危険あり！

海底火山ににている山？
伊豆大島の三原山は、海底からそびえる巨大な島のてっぺん部分がちょっと出ているだけ。陸上にあるから海底火山とはいわないが、日本にはいくつもあるぞ。

深いところは爆発しない？
海の中では、10m深くなるごとに1気圧ずつ水圧が高くなる。とても深い海底にある火山は、水圧で抑えつけられるため、爆発的な噴火が起きないんだ。

2009.3.18 撮影_トンガ

submarine volcano

| レア度 | インパクト | 危険度 | 不思議度 |

地球の表面積の70％は海。実は陸上の火山よりも海底火山のほうが多いんだ。地球はプレートと呼ばれる岩板におおわれているが、これは海底の「中央海嶺」と呼ばれる場所で起きる火山活動でできるんだ。プレートがぶつかり合うあたりにも火山がたくさんあるぞ。トンガの火山では噴火によって新しい島が現れたんだ。

2009.3.18 撮影 トンガ

2009年に起こったトンガの海底火山の噴火で新しい島が誕生した。

3章「未知なる水中世界」の大冒険

ポロロッカ（海嘯）

河川が大波をともなって逆流する！

- **現象**：潮の満ち引きによる影響で、水が川を逆流する現象。大きな波をともなって逆流することもある。
- **スポット**：アマゾン川など、世界中の河川。

川の水はふつう上流から下流に向かって流れるが、潮の満ち引きの影響で河口から上流に向かって水がさかのぼる現象がおきる川がある。そのような現象は海嘯と呼ばれる。南アメリカのアマゾン川でも規模の大きな海嘯が発生するが、現地では「ポロロッカ」と呼ばれる。

2004.4.6 撮影 ブラジル・メアリン川

この波を利用してサーフィンをする人たちもいるんだ。

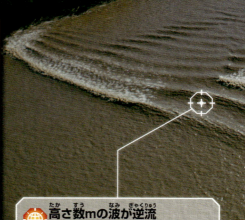

高さ数mの波が逆流

人の背の高さの何倍もある波が逆流していくぞ。人や船が飲み込まれる危険性もあるんだ。

撮影日不明 ブラジル・アマゾン川

| レア度 | インパクト | 危険度 | 不思議度 |

ポロロッカの時速は10〜40km

ポロロッカによって起こる波は、自動車並みのスピードで大きな音を立てながら川をさかのぼるぞ。

3章「未知なる水中世界」の大冒険

波の花

日本海に打ち寄せられる謎の泡!?

- **現象**：冬季に日本海の海岸に泡のようなものがうち寄せられる現象。プランクトンが出す粘液が原因とされる。
- **スポット**：冬の日本海でみられる。

原因はプランクトン!?

プランクトンが出すネバネバした液によって泡ができるんだ。ぬるぬるしていて滑りやすいから要注意。

2012.1.31 撮影 石川県質々木海岸

Cappuccino Coast

レア度 | インパクト | 危険度 | 不思議度

冬の日本海側では、北よりの風が強く吹きつける。その冬の季節風によって、海岸の岩場などに波がはげしく打ち付けられる。そのとき、海が石けんの泡のようなものでいっぱいになることがある。それが波の花と呼ばれる現象だが、その原因はプランクトンの出す粘液で、海水温が下がると粘液の粘性が増すといわれている。

3章「未知なる水中世界」の大冒険

冬季に見られる
11月下旬〜2月ごろのとても寒い時期にしか見られない。風が強くて波も高くないと波の花はあらわれないぞ。

謎に包まれたピンク色の塩湖
ピンク色のヒリアー湖

- **現象**：オーストラリア沖合の島にあるピンク色の水をたたえる湖。藻類や細菌が色素を作り出していると考えられている。
- **スポット**：西オーストラリア南部の沖合にあるミドル島。

塩分濃度がとても高い
塩分濃度は海の10倍くらいもあり、なめるととてもしょっぱいぞ。

すくってみてもピンク色
光のあたりぐあいでピンク色にみえているわけではなく、バケツにくんでも水はピンク色だ。

撮影日不明　オーストラリア ヒリアー湖

Lake Hillier

| レア度 | インパクト | 危険度 | 不思議度 |

ヒリアー湖は全長600mほどの大きさのピンク色の湖だ。湖とい·うとふつうは真水だけれども、ヒリアー湖は死海などと同じように塩水の湖。なぜピンク色なのかについては、色素を作り出す藻類や細菌が関係していると考えられているが、完全にはわかっていない。

3章「未知なる水中世界」の大冒険

ピンクの湖は他にもある！

ヒリアー湖と同じようにピンク色の湖は、西オーストラリア州にもあるし、ヨーロッパやカナダなどにもあるんだ。

111

海面が急上昇し陸地が飲み込まれる！
高潮(たかしお)

- 現象：台風や発達した低気圧や押し寄せる風などのために海面が大きく上昇すること。大潮と重なるとさらに危険。
- スポット：台風や発達した低気圧が通過するときなど。

2017.1.27 撮影 茨城県 大洗海岸

勢いのある高潮に飲まれたらひとたまりもないぞ。

満潮と重なる時は要注意
満潮のとき、とくに大潮だとよけいに危険度がアップするから要注意だ。もちろん、干潮のときでも台風などがきたときには高潮に注意が必要だ。

日本の高潮の最高記録は？
1959年に上陸した伊勢湾台風のときには、高潮のために名古屋港で3m89cmも海面が高くなったんだ。港が水びたしになり、大きな被害が出たんだ。

2014.1.3 撮影 イギリス ウェールズ

storm surge

| レア度 | インパクト | 危険度 | 不思議度 |

気圧が1hPa下がると海面は1cm上昇！
日本のまわりの平均気圧は1013hPaくらいだけど、たとえば930hPaになると83cmも海面が上がる計算になるぞ。

DANGER
生命の危険あり！

3章「未知なる水中世界」の大冒険

気圧が低い（低気圧）ということは、海の上に乗っている空気が少ないということであり、その分海面が上がる。また、強風で海の水が海岸へ吹き寄せられることでも海面は上がる。このような低気圧と強風の両方の効果が合わさって、海面が上がる現象が高潮だ。通常より数m海面が高くなることもあるんだ。

113

血の滝

南極にある血のように真っ赤な滝!?

- **現象**：南極大陸の氷河の先端から流れ落ちる滝。水に含まれる成分が変化して赤い色をしている。
- **スポット**：南極大陸のテイラー氷河。

水が血のように赤い
鉄分をたくさん含んでいる水が流れてきて、空気に触れることでさびて赤くなるんだ。

氷河の下の湖に謎の生物!?
血の滝の水が流れてくる氷河の下の湖は、太陽の光がとどかない真っ暗な世界。しかし、そんな湖にも微生物がすんでいることがわかっているんだ。

2006.11.26 撮影　南極
写真：Peter Rejcek

Blood Falls

レア度	インパクト	危険度	不思議度

血の滝と少し物騒な名前が付けられているが、もちろん血が流れているわけじゃない。1911年に南極で初めて発見されてからしばらくは、血の滝が赤いのは、赤い藻類のせいだと思われていたが、のちに実はちがうことがわかった。現在は、鉄分が空気に触れる酸化によるものと考えられている。

「血」はどこから流れてくる?
テイラー氷河の下には、氷に閉ざされた湖があると考えられているんだ。血の滝の水は、その氷河の下の湖から流れてきているらしい。

3章 「未知なる水中世界」の大冒険

115

場所によって色が変化する温泉!?
虹色の温泉

- **現象**：「グランド・プリズマティック・スプリング」という温泉で、温度の違いで生息する細菌が変化し、場所によって色が異なる。
- **スポット**：アメリカ、イエローストーン国立公園のミッドウェー間欠泉地域。

世界初の国立公園
虹色の温泉などがあるイエローストーンは、北アメリカ最大の火山地帯で、1872年に世界で初めて国立公園になった場所なんだ。

撮影日不明 アメリカ イエローストーン国立公園

真上から見るとグラデーションのように中央に行くにしたがい色が濃くなる。

外側は55℃くらい
人間が入れる温度ではないが、こうい
う熱い湯が好きな細菌もいるんだ。

2011.7.2 撮影 アメリカ イエローストーン国立公園

Grand Prismatic Spring

レア度	インパクト	危険度	不思議度

イエローストーン国立公園にある虹色の温泉は、直径およそ113m、深さ37m以上あるこのエリア最大の温泉。泉のまん中あたりは温度が高すぎて細菌がいないため水がとても透明だ。しかし、まわりにいくにつれて少しずつ温度が下がり、それぞれの温度によって生息する細菌の種類が変わり、色が変化している。

まん中は90℃近く
もう少しで沸騰しそうな温度。さすがに生き物はすんでいないぞ。

3章「未知なる水中世界」の大冒険

潮汐

月の引力で海面の高さが刻一刻と変わる！

- **現象**：主に月の引力の影響で、海面の高さが高くなったり低くなったりする現象。太陽の引力の影響も加わると大潮になるんだ。
- **スポット**：日本では九州の有明海や広島県厳島神社などが有名。

月と太陽の引力で大潮に！

潮の満ち引きにいちばん影響するのは月だが、太陽の引力の影響もあるんだ。満月や新月のときには、月と地球、太陽が一直線上に並ぶため、満ち引きの差がとても大きくなる大潮が起こるんだ。

干満の差は高さ数mにおよぶ

日本一の干満差は九州にある有明海で、干潮のときと満潮のときの差が最大6mにもなる。これはビルの2階の天井くらいの高さに相当するぞ。

2017.3.27 撮影 熊本県 有明海

tide

| レア度 | インパクト | 危険度 | 不思議度 |

春の時期に行う潮干狩りは、遠浅の砂浜で潮が引いたタイミングを利用して、砂浜に残された貝をとる漁法だよ。海の潮の満ち引きがあるからできるんだ。潮の満ち引きは、月の引力の影響で、地球の海の水が引っぱられて、海面が高くなったり、低くなったりすることで起きる現象なんだ。

3章「未知なる水中世界」の大冒険

海だった場所が陸地に！
満潮の時は海に満たされて船が通れる場所が、干潮になると陸地になって人が歩けるようになるんだ。写真は干潮の有明海。

深海世界で発生する謎の黒煙！
熱水噴出孔

- 現象：深海底から熱水が噴き出している場所で、黒煙や白煙のようなものが発生する。金属と硫黄の化合物が影響しているとされている。
- スポット：深海にある海嶺などで発生。

深海の海嶺などで発生する現象で、黒い煙がもくもくと湧き上がっているようにみえることから「ブラックスモーカー」とも呼ばれる。黒くなっているのは、金属と硫黄の化合物が混ざっているからだ。逆に「ホワイトスモーカー」と呼ばれる現象もあるが、これは金属と硫黄の化合物が少なく白っぽくなったものだ。

熱水噴出孔のまわりにも生物が！

深海は、太陽の光がとどかないので、植物のように光合成はできない。でもそんなところにすんでいる未知の生物がたくさんみつかっているんだ。赤いものがチューブワームという生物だ。

深海底は真っ暗闇

太陽の光は、水深200mくらいまでしか届かない。写真は照明を当てて撮影しているが、実際には闇の世界だ。

2004.9.20 撮影　太平洋

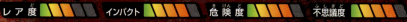

hydrothermal vent

| レア度 | インパクト | 危険度 | 不思議度 |

2004.4 撮影 大西洋
写真：NOAA Photo Library

真っ白な煙が立ちのぼる「ホワイトスモーカー」の様子。

3章「未知なる水中世界」の大冒険

DANGER
生命の危険あり！

海水が熱せられて噴出

海底から染み込んだ海水が、地下のマグマの熱で温められて熱水になる。水圧が高い深海では、熱水は最高400℃にもおよぶぞ。

ポットホール（おう穴）

川底にできる不思議な穴ぼこ！

giant's kettle

- **現象**：川の底にある岩のくぼみなどに石が入り込み、川の流れによって、石が転がり削られて穴ができる現象。ポットホールの大きさは数cmから数m。
- **スポット**：川底や海岸にある岩のさけ目やくぼみでできる。

レア度／インパクト／危険度／不思議度

2016.8.2 沖縄 西表島

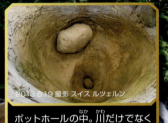

2013.6.19 撮影 スイス ルツェルン

ポットホールの中。川だけでなく海の波でできることもある。

穴とまん丸な石ができる!?
コロコロと転がる石によって、大きな穴ができると同時に、その石がまん丸な形になることがある。

川の底にある岩のくぼんだところや割れ目などに石が入り込み、その石が川の流れでコロコロと転がりながら、岩のくぼみや割れ目が大きくなっていき、穴ができることがある。そのようにしてできた川底の穴をポットホールというんだ。日本語では「おう穴」と呼ばれている。

4章

「雪と氷の驚愕世界」の大冒険

雪が崩れ落ち、すべてを飲み込む！
雪崩

- **現象**：雪崩は山腹などの斜面に積もった雪が、重力の作用によって、目で見てわかるくらいの速さで崩れ落ちる現象。
- **スポット**：雪が積もった山の斜面。

北海道や本州の日本海側では、毎年とてもたくさんの雪が降る。そんな雪の多い地域の山岳地帯で1月から3月までの間を中心に雪崩は多く発生する。斜面の近くにすんでいる人だけでなく、スキーや登山などのレジャーで雪山を訪れるときも雪崩に遭遇する可能性はあるので要注意だ。

表層雪崩の時速は何と200km！
積もった雪の上の方の雪が崩れる雪崩を表層雪崩という。表層雪崩は時速200kmになることもあるぞ。これは新幹線なみの速さだ。

斜度35度以上で危険度アップ
斜面が35〜45°の坂が、雪が積もり雪崩が起きやすい。ちなみにスキー競技のジャンプ台の傾斜は35°くらいで、初心者には崖のように見える角度だ。

撮影日不明　フランス シャモニー

avalanche

レア度 | インパクト | 危険度 | 不思議度

4章「雪と氷の驚愕世界」の大冒険

DANGER
生命の危険あり！

全層雪崩は時速80km

気温が高くなる春先には、雪の表面から地面まで雪全体が崩れる全層雪崩が起きやすくなる。その速さは時速40〜80km。自動車並みの速さだ。

表層雪崩　すべり面　地表面

全層雪崩　すべり面　地表面

125

スノードーナツ（雪まくり）

雪が転がってできる謎のスイーツ!?

- **現象**：雪のかたまりが斜面を転がったり、風で転がったりして、ドーナツやロールケーキのような形になったもの。
- **スポット**：山の斜面などでできる。

撮影日不明 アメリカ オレゴン州

コロコロ転がりながら雪のかたまりが大きくなっていく。

縁起のよい米俵型!?

山形県の庄内平野では、形が米俵にもみえることから「俵雪」とも呼ぶ。俵雪が現れた年は豊作になるという言い伝えもあるんだ。

2014.1.27 撮影 アメリカ オハイオ州

snow roller

レア度	インパクト	危険度	不思議度

木から落ちた雪が斜面を転がって、まるでロールケーキやのり巻きのような形になることがある。なかには、まん中にくぼみがあいているドーナツのように見えるものもあるんだ。また、斜面ではなく平らなところであっても、雪のかたまりが風によって転がって、同じような現象が起きることがあるぞ。

4章「雪と氷の驚愕世界」の大冒険

ドーナツのような形？
雪が転がって回転しながら雪がくっついて、少しずつ大きくなっていくんだ。転がるうちに中心が崩れて空洞になることもあるんだ。

棚氷(たなごおり)

日本全体よりも大きい氷のかたまり

- **現象**：南極大陸などにある、雪などが降り積もってこおった氷床が、海にせり出して浮かんでいる部分のこと。
- **スポット**：南極大陸のまわり。

面積は日本以上!?

棚氷は、海にせり出したといっても、ものすごく広い。日本の面積は37万8000km²だけど、それより広い40万〜50万km²もある棚氷もあるんだ。

2010.9.5撮影 南極
写真：NASA

ice shelf

| レア度 | インパクト | 危険度 | 不思議度 |

南極大陸全体は氷におおわれている。そのように広い範囲をおおう氷を「氷床」と呼ぶ。これらは降り積もった雪が長い年月をかけて氷になったものだ。大陸のまわりの部分の氷床は、だんだん海にせり出していく。そのせり出して海に浮かんでいる部分が「棚氷」と呼ばれる部分だ。

2014.8.12 撮影　南極

日本を始め世界の観測船が南極を訪れている。

4章「雪と氷の驚愕世界」の大冒険

割れたら氷山になる

南極をおおう氷が氷床、海にせり出した部分が棚氷。棚氷が割れて、海を浮遊するようになったものは氷山（P130）と呼ばれるんだ。

氷山　棚氷　氷床

129

海に浮かぶ超巨大な氷のかたまり
氷山

- **現象**：棚氷の氷が割れるなどして海に流れ出したもの。海面より上の部分の高さが5m以上のものを指す。
- **スポット**：北極海や南極海などにある。

DANGER
生命の危険あり！

氷山は塩辛くない
南極の海にある氷山は、海の水がこおってできたわけじゃない。もともと陸地でできた氷河だから塩辛くはないんだ。

2010.2.10 撮影 南極
写真：第50次南極観測隊

幅20km、高さ54mの巨大なテーブル型氷山。

2016.2.23 撮影 南極

130

iceberg

レア度	インパクト	危険度	不思議度

南極の棚氷や、北極の氷河が割れて、海に浮かんだものを氷山と呼ぶ。氷山の形はさまざまだが、上の面が平らなものはテーブル型氷山だ。氷の高さは数十メートル、大きさは数百mから数kmほどになり、とても大きなものだと100kmをこえるものもあるんだ。南極や北極の氷山の大きさは、スケールがちがうぞ。

4章「雪と氷の驚愕世界」の大冒険

海の上に出ているのはわずか

海に浮かんでいる氷山の90%くらいの部分は、海の中に隠れている。見える部分はわずか10%ほどだ。

氷河が海に落ちて津波が発生!?
氷河の大崩落

- **現象**：棚氷や氷河の一部が崩れ落ちる現象のこと。
- **スポット**：南極やグリーンランドの氷河の末端部。大きくて重い氷河が崩落したときの威力は絶大だ。

1996.5.23 撮影　南極

巨大な氷が崩れ、倒れようとしているところ。

 津波のきっかけに!?
とても大きな氷が崩落すると、それが原因で津波がおきることもあるんだ。

DANGER
生命の危険あり！

2010.11.10 撮影　南極

Collapse of the glacier

レア度 | インパクト | 危険度 | 不思議度

南極では大陸の内陸部で降った雪が、ものすごく長い間、積もりつづけてやがて氷になる。そのような氷は、重みによって海の方へと流れ動いていく。これが氷河だ。海までたどり着いた氷河は、あるとき先端のところが崩れ落ちたり、割れて巨大な氷山になったり氷河の大崩落を起こす。

氷河はものすごく重い

氷の密度は、1辺が1cmの立方体でだいたい0.9gだ。それで計算してみると、1辺が1mの氷の立方体で900kg、1辺が10mの氷の立方体だと900トンにもなる。

4章 「雪と氷の驚愕世界」の大冒険

標高4000mの高地にある針の山！
ペニテンテ

- **現象**：標高4000m以上の氷河の表面などに、とがった氷の柱が針の山のように何本も立ち並ぶ現象。
- **スポット**：アンデス山脈やヒマラヤ山脈などの高地

高いものは数m！
ペニテンテの高さは数十cmから数mだ。高いものはビルの2階くらいの高さになるんだ。

撮影者不明／アルゼンチン／メルセダリオ山

人間の高さを軽く越える大きな針山もあるんだ。

2005.8.29撮影 チリ／アグアネグラ峠

penitente

レア度	インパクト	危険度	不思議度

見られるのは標高4000m以上

写真のようにたくさん氷の柱が並ぶ風景を見ることができるのは4000m
以上の高地だけ。富士山より高いところじゃないと見られないんだ。

4章「雪と氷の驚愕世界」の大冒険

先のとがった氷の柱がたくさん並んでいる。ぱっと見、アイスモンスター（P148）に似ているように見えるかもしれないが、構造は大きく異なる。アイスモンスターは木に氷や雪がくっついてできているが、ペニテンテは中まですべて氷でできている。氷が、太陽光によって蒸発していくときにできると言われている。

南極の活火山に出現！大きくなる氷の塔
アイスタワー

- **現象**：エレバス山の中腹で噴き出すガスの中に含まれる水蒸気が、少しずつ零下の気温でこおり、タワーができる。
- **スポット**：南極のエレバス山の中腹。

塔は少しずつ高くなる
噴き出した水蒸気がこおって、タワーは少しずつ高くなっていくんだ。

2010.4.7 撮影　南極・エレバス山

ice tower

| レア度 | インパクト | 危険度 | 不思議度 |

南極というと氷ばかりだと思うかもしれないが、実は活火山も存在している。南極にある活火山の一つエレバス山、その中腹にはアイスタワー（氷の塔）と呼ばれるものがある。塔の下には噴気孔があって、そこから噴き出すガスに含まれている水蒸気がこおって塔をつくっているんだ。

4章「雪と氷の驚愕世界」の大冒険

2006.3.16 撮影　南極・エレバス山

丸まったものからとがったものまで、さまざまなアイスタワーがある。

山の中腹にある

南極にあるエレバス山は標高3794m。その中腹にアイスタワーはある。3776mの日本最高峰の富士山と同じくらいの高さだ。

大気がダイヤのようにきらきら輝く
ダイヤモンドダスト

- **現象**：地表付近の空中をただよう小さな氷の結晶が、太陽の光を受けてきらきらと輝く現象。
- **スポット**：高山や北海道の内陸部など寒冷な地域。

2015.12.23撮影 北海道

氷の粒の反射
空気中の水蒸気が小さな氷に変化し、太陽光を反射や屈折することで、大気の一部分が輝くように見える。

−10〜−20℃のとき発生
ふつう氷（固体）は水（液体）がこおってできるが、ダイヤモンドダストは−10〜−20℃のときに空気中の水蒸気（気体）がこおってできる。

diamond dust

レア度　インパクト　危険度　不思議度

　ダイヤモンドダストの正体は、とても小さな透明な氷の粒だ。北海道の内陸部などで、急に冷え込んだときに、水蒸気が氷の粒になることがある。この氷の粒に太陽の光が当たると、表面や内部で光が反射や屈折して、まるでダイヤモンドのようにきらきらと光って見える現象なんだ。

2016.3.4撮影 北海道

写真ではわかりにくいが、氷が光を反射し、屈折すると色が付く。

4章「雪と氷の驚愕世界」の大冒険

何も見えない真っ白な世界　whiteout

ホワイトアウト

- **現象**：目に入る景色がすべて白っぽくみえ、空と地面の区別がつかなくなったような状態のこと。
- **スポット**：南極などの極地方や冬山、雪の多い地方。

レア度　インパクト　危険度　不思議度

2016.2.8 撮影 カナダ

空と地面の境がなくなる
地面が雪でおおわれて、空が真っ白なとき、その境目がわからなくなってしまう。

DANGER
生命の危険あり！

方向感覚がおかしくなる
ホワイトアウトになると、自分がどの方向を向いているのかや、自分がどこにいるのかわからなくなることがあるのでとても危険だ。

　ものすごい吹雪や地吹雪によって、視界が真っ白な状態になるのがホワイトアウトだ。ただし、吹雪のときだけとは限らない。地面が雪でおおわれ、空全体に薄い雲がかかっているようなときなど、地面と雲の明るさが同化して区別がつかなくなるのもホワイトアウトと呼ぶんだ。

140

ブリザード

blizzard

遭遇すると命の危険をともなう暴風雪

- 🔍 **現象**：すごく強い風によって起きる吹雪や地吹雪のことを指す。
- 🌐 **スポット**：北アメリカやシベリア、南極など世界各地で発生。

レア度　　インパクト　　危険度　　不思議度

雪と強い風で視界が悪い
アメリカでは、大量の雪とともに、秒速約14mの風で、150m先が見えない嵐をブリザードという。

DANGER 生命の危険あり！

第4章 「雪と氷の驚愕世界」の大冒険

南極で台風並みのブリザード!?
南極ではしばしば強い風が吹くが、日本の観測基地である昭和基地では、秒速25mという台風並みの風が、地吹雪とともに6時間以上も吹きつづけると、A級ブリザードという。A級ブリザードが1年間に10回以上も発生した年もある。

2009.5.1 撮影 南極　写真：第50次南極観測隊

ブリザードは、もともとは北アメリカでおきる暴風雪をさす言葉だ。アメリカで大寒波によっておきるブリザードが、日本でニュースになることもあるんだ。非常に強い風と雪による嵐が起こると、今ではアメリカ以外の暴風雪もブリザードと呼ばれることもある。

未知の世界！面白い南極！

南極というと氷におおわれているイメージだけど、実はこおっていない湖もあるんだよ。この写真はそんな湖の底を撮った写真だ。

コケぼうず
写真：国立極地研究所

とがった小さな山みたいなものがいっぱいあるね。なんで緑色なの？

コケや、シアノバクテリアという藻の仲間の生き物などでできているからだよ。こちらの景色も南極ならではだよ。

ハイドロリックジャンプ
写真：第50次南極観測隊

雪が上に舞い上がっているね。

南極ではよく、内陸の標高が高いところから風が吹き下ろしてくるんだけど、下の方で冷たい空気が溜まっていると、その上に風が跳ね上がることがあるんだ。**「ハイドロリックジャンプ」**と呼ばれている現象だ。

その風で地面の雪が舞い上がるんだね。

南極ではちょっと変わった蜃気楼もあるよ。

月明かりの蜃気楼

写真：武田康男（第50次南極観測隊）

ちょっと暗い感じ。

夜に撮った写真だからね。

えっ！夜なのに蜃気楼が見られるの？

月が明るければね。実は月はけっこう明るいんだよ。次は、太陽が沈むときに、一瞬緑色に輝く**グリーンフラッシュ**だよ。

グリーンフラッシュ
写真：第50次南極観測隊

緑色の光、まぶしい！

太陽の上の方がちょっとだけ緑に見えるんだよ。お次はこちら。

南極のつぶれた満月
写真：第50次南極観測隊

大変！月がぺしゃんこ。

変形太陽（P74）の月バージョンだね。

なんか表面の模様が変な感じが……。

そうなんだ。南極で月をみると、ウサギの模様が日本でみるときとは上下が逆になるんだ。月の模様だけじゃないよ。

逆さのオリオン座

写真：第50次南極観測隊

オリオン座まで、ひっくり返っちゃった！

樹氷

樹木が氷をまとう冬の風物詩

- **現象**：氷点下でもこおっていない水滴が、風や雲などで運ばれて来て、木にぶつかった衝撃によって木の枝でこおる現象。
- **スポット**：気温−5℃以下で、過冷却水滴があるとき。

2017.2.7 撮影 大分県

「エビのしっぽ」とも呼ばれる、大きく成長した樹氷。

霧氷のなかまたち

水滴がこおったものが「樹氷」だ。水蒸気が水になるのをとばしていきなり氷になるものもあり、これを「樹霜」という。ちょっと大きめの水滴がこおってできる「粗氷」もある。これら3つをまとめて「霧氷」とも呼ばれるんだ。

風が来る側に樹氷ができる

風に運ばれてきた水滴がこおるので、風上側に樹氷ができて大きくなっていく。その形から「エビのしっぽ」と呼ばれることもあるんだ。

2017.2.7 撮影 大分県

soft rime

レア度　インパクト　危険度　不思議度

水は0℃以下でもこおらないことがあり、その状態を「過冷却」という。過冷却の水は、ちょっとした刺激ですぐに氷に変わる。そんな過冷却の水滴が木にぶつかることで、樹氷はできるんだ。比較的小さな水滴によってできた「樹氷」は白っぽくて不透明だ。一方、大きな水滴でできたものは半透明になる。

4章「雪と氷の驚愕世界」の大冒険

過冷却の雲が来ると巨大化
雲の中には過冷却の水滴でできているものがある。山の上の方にそんな雲がかかると、大きな樹氷ができることがあるんだ。

気温が−5℃以下
樹氷ができるのは−5℃以下の寒いとき。風や雲で運ばれてきた水滴が木にぶつかって樹氷に変化するんだ。

アイスモンスター
雪山に現れる白い怪物！

- 現象：アオモリトドマツの木が、樹氷や雪によっておおわれて、全体が白いかたまりのようになった状態のこと。スノーモンスターともいう。
- スポット：東北地方の蔵王山や八甲田山などの山岳地帯。

10m近い高さのものも
樹氷ができたアオモリトドマツの木に雪がつもる。その大きさは10m近い高さになるものもある。

寒くて風が強いと成長する
気温−10〜−15℃、秒速10〜15mの強い風が吹くときに大きくなる。

アイスモンスターは樹氷？
観光ガイドブックなどでは、アイスモンスターのことを樹氷と呼んでいることも多い。でも気象学で使われる「樹氷」（P146）と、アイスモンスターは区別されているんだ。

Ice monster

レア度	インパクト	危険度	不思議度

冬になると、山形県や宮城県にある蔵王山に白い怪物があらわれる。その正体は、アオモリトドマツという木に樹氷ができ、その樹氷の間に雪がくっついて大きなかたまりのようになったものだ。その名前の通り、モンスターのような姿形を望むことができる、世界的に見ても珍しい現象だ。

4章「雪と氷の驚愕世界」の大冒険

2017.3.13 撮影　山形県 蔵王

本当のモンスターのような姿をしたかたまりを目にすることができる。

🌐 雪が多すぎるとできない

蔵王の積雪量は2〜3mほどだ。積雪が多すぎると、木が雪に埋もれてしまうので、アイスモンスターはできないんだ。

149

極寒の地で水蒸気が咲かせる霜の花

フロストフラワー

現象：空気中の水蒸気がこおって霜になり、植物や物などについて、まるで花のように大きく成長したもののこと。

スポット：湖や川に張った氷の上など。

霜は植物の葉や岩、窓ガラスなど、いろいろなものの表面にできる。とても寒いときに、空気中の水蒸気がこおって付いたものだ。水蒸気がたくさんあると、霜がどんどん成長することがある。そうしてできた大きな霜は「フロストフラワー」とよばれるぞ。英語で「霜の花」という意味なんだ。

こおった川や湖でできる

気温がとても低いと、川や湖に張った氷のほうが、空気よりも温度が高いことがある。すると氷から水蒸気が出て霜の元になり、大きなフロストフラワーができることがあるぞ。

霜と霜柱は別物

フロストフラワー（霜）は空気中の水蒸気がこおってできるんだ。冬に土の中でできる霜柱は、地中の水分がこおってできるもので別物だ。

2014.02.02 撮影 北海道・屈斜路湖

frost flowers

レア度 | インパクト | 危険度 | 不思議度

2017.3.2 撮影 アラスカ

枝のような霜が重なり合って、まるで花のような姿に見える。川の上の石にできたもの。

4章「雪と氷の驚愕世界」の大冒険

151

しぶき氷

水しぶきが木の枝に飛んでこおる!

- 現象：湖岸の木の枝などに冷たい水しぶきがかかってできた氷のこと。海で船などにできることもある。しぶき着氷ともいう。
- スポット：寒い冬に、深くて広い湖の岸や海辺など。

湖の表面で強い風が吹くと水しぶきが飛ぶ。そのとき気温が氷点下だと、湖の岸辺にある木の枝などにくっついた水しぶきがこおってしまうことがある。それがしぶき氷だ。とても強い風が吹くと1mをこえる高さになることも。北海道の屈斜路湖、福島県の猪苗代湖や栃木県の中禅寺湖などにできる。

深い湖でできやすい

水は温度で重さが変わり、4℃のとき一番重い。寒い季節、湖面が冷え4℃になるまで沈み、下から温度の高い水が出てきて、そのサイクルが続く。深い湖ほど、表面の水がこおりにくいから、しぶき氷ができやすいんだ。

2013.12.31 撮影　北海道 屈斜路湖

木の枝にかかった水しぶきがこおった「しぶき氷」。

2014.02.24 撮影　福島県 猪苗代湖

152

spray icing

| レア度 | インパクト | 危険度 | 不思議度 |

寒すぎるとできない？
湖の表面がこおってしまうと、どんなに風が強く吹いても氷しぶきが飛ばないから、しぶき氷はできなくなるぞ。

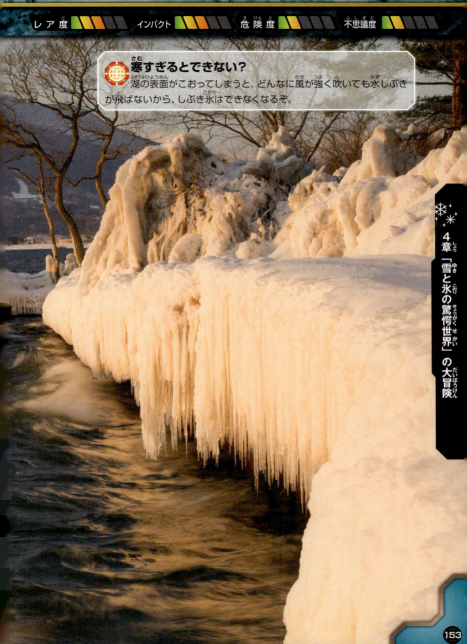

4章「雪と氷の驚愕世界」の大冒険

船の行く手をはばむ氷の海！

流氷

- **現象**：海岸からはなれて海面をただよっている氷のこと。海水が−1.8℃以下となりこおることで発生する。
- **スポット**：北海道のオホーツク海沿岸から見られる流氷が有名。

北半球で最南端の流氷

北海道沿岸にやってくる流氷は、北半球でいちばん南までやってくる流氷だ。氷山は主に真水がこおったものだけど、流氷は海水がこおったものだ。

「流氷初日」は肉眼で確認

北海道のオホーツク海沿岸で、流氷が最初に見えた日を「流氷初日」、最後に見えた日を「流氷終日」という。これは人工衛星の画像などから判断しているわけじゃなくて、沿岸から気象庁の人が自分の目で確かめているんだ。

2016.2.25 撮影　北海道 知床

drift ice

| レア度 | インパクト | 危険度 | 不思議度 |

海岸にくっついていない氷は全部流氷と呼ぶが、国内で話題になるときは、冬に北海道のオホーツク海沿岸にやってくるものをさすことが多い。オホーツク海の流氷は、1月下旬ごろに北海道沿岸までやって来て3月ごろまで見ることができるんだ。流氷におおわれた海は専用の船でしか移動できないんだ。

撮影日不明 北海道 網走

流氷砕氷船という、海の流氷をくだきながら進める船で、流氷を近くで見られる。

4章「雪と氷の驚愕世界」の大冒険

流氷はあまりしょっぱくない

真水は0℃でこおりはじめるけど、海水がこおりはじめるのは−1.8℃と、少し温度が低いんだ。また、流氷は海水の3分の1くらいしか塩分が含まれていないんだ。

155

幻氷

春先の流氷がゆがむ謎の現象!?

- **現象**：春先、流氷が去るときに、冷たい海水のために冷えた海面付近の大気と、上の方のあたたかい大気との温度差により蜃気楼（P72）が発生。
- **スポット**：春先のオホーツク海など。

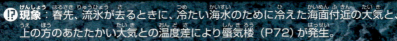

去った流氷が遠くで伸びる
水平線上に、別れを惜しむかのように、流氷が伸びあがって見える。

2013.4.2 撮影　北海道 知床
写真：Picasa

何もないはずの流氷の上に、建物のような幻が見える。

2014.4.29 撮影 北海道 知床
写真：村上隆広

mirage of ice

レア度	インパクト	危険度	不思議度

オホーツク海などの海は、流氷のために海面付近は冷えている。春先になってあたたかい空気が流れ込んでくると、空気の下の方は冷たく、上の方があたたかい状態になる。そのようなときにおきる蜃気楼が幻氷だ。遠くにある流氷がさまざまな形に浮かび、おばけ氷とも呼ばれている。

4章「雪と氷の驚愕世界」の大冒険

春先に見える蜃気楼

オホーツク海の沿岸では、春先に流氷が伸びあがる蜃気楼のことを幻氷というんだ。ほかの季節にも蜃気楼が見えるときがある。

海岸に打ち寄せられる宝石
ジュエリーアイス

- **現象**：十勝川河口付近の海岸で見られる透き通った美しい氷。川でできた氷が流され、海岸漂着する現象だ。
- **スポット**：北海道豊頃町の大津海岸。

十勝川でこおった氷が海まで流れ着き、波によって海岸に打ち上げられる。透明な氷に太陽の光が当たると、まるで宝石のように美しく輝いてみえることからジュエリーアイスと名づけられた。この現象を見ることができるのは1〜3月ごろで、最近注目されるようになった現象だ。

川の水がこおったもの

流氷は海の水がこおったものだが、ジュエリーアイスは川の水がこおったものだ。つまり、ジェリーアイスは塩分を含んでいなくて透明だ。

2016.1.28 撮影 北海道 十勝川河口

レア度	インパクト	危険度	不思議度

4章「雪と氷の驚愕世界」の大冒険

宝石のように輝く
浜辺に無数の氷が打ち上げられる。透明度が高く、日の光に照らされて、きらめく様子は実に美しい。

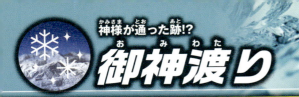

御神渡り
神様が通った跡!?

- 現象：数kmにもわたり湖を横断するように氷が盛り上がる現象。氷の伸縮作用や、そこに新たに氷がはることでできる。
- スポット：諏訪湖や屈斜路湖など。

なぜ「御神渡り」？
諏訪大社の上社の男の神様が、下社の女の神様のところに通った道が、諏訪湖の御神渡りだという伝説があるんだ。

氷がふくらむ
鉄道のレールは、夏になると高温で少しふくらんでゆがんでしまうことがある。氷も同じだ。温度が高くなるとふくらみ、逆に温度が低くなると縮むんだ。

撮影日不明 長野県 諏訪湖

omiwatari

レア度 ■■■□□　インパクト ■■■■□　危険度 ■■□□□　不思議度 ■■■■□

湖の表面全体がこおっているとき、夜になると気温が下がって氷がちぢんで割れ目ができる。寒いので割れ目部分にもすぐに氷が張る。朝になって気温があがると氷全体が少しふくらむので、割れ目になったところが狭くなる。そのため割れ目に後からできた氷が盛り上がる「御神渡り」ができる。

高さ1mをこえることも

諏訪湖で御神渡りができる向きや高さなどは、そのときどきでちがう。氷の峰は高いときにはゆうに1mをこえることもある。

2004.2.1撮影 長野県 諏訪湖

氷の割れ目がこおって盛り上がり、割れた部分が高くなっていく。最近はできにくくなった。

4章「雪と氷の驚愕世界」の大冒険

アイスバブル
氷がとじこめた美しすぎる泡！

- **現象**：湖の底から出るガスが、零下の気温によって、こおってしまった湖の氷に閉じ込められる現象。
- **スポット**：カナダのアブラハム湖など湖底からガスが出て湖面がこおる湖。

2013.1.28 撮影 カナダ・アブラハム湖

氷と泡によって生み出された、まさに自然が作り出した芸術作品だ。

湖底で発生する泡
冬季に湖底で発生するガスが、水面の凍結にともなって閉じこめられてしまう。

2016.1.26 撮影 カナダ・アブラハム湖

ice bubbles

| レア度 | インパクト | 危険度 | 不思議度 |

アイスバブルとは、その名の通り、湖の底で発生したガスの泡が、氷に閉じ込められてしまったもの。どこまでも広がる湖面の中に、無数の気泡が連なり閉じ込められた様子は、時が止まったかのような神秘的な景観を成している。アブラハム湖の泡の正体はメタンガスであると言われている。

雪が降ると見られない

アイスバブルを見るには、湖の表面が氷るほど寒くないといけない。しかし、湖の氷が雪でおおわれてしまうと湖面が隠れ見られなくなってしまう。

4章 「雪と氷の驚愕世界」の大冒険

163

氷紋

氷上に描き出される自然のアート

- **現象**：池や湖に張った氷に見られる模様のこと。氷の上に雪が積もり、氷の割れ目から水が染み出て、雪に染み込み模様ができる現象。
- **スポット**：表面がこおる池や湖で、雪が少し降り積もる場所。

氷の張った池や湖の表面に、いろいろな模様が現れることがある。これは氷紋と呼ばれ、氷の上に雪が積もったときにできる現象なんだ。氷に穴があいて、水が雪に染み込んだときにできる模様。水の広がり方によって、氷の表面には多彩な模様が作り出され、自然のアート作品が完成する。

氷紋のメカニズム

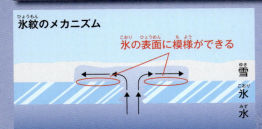

氷の表面に模様ができる

雪
氷
水

いろいろな形がある

水による雪への染み込み方で、放射状のもの、同心円状のもの、円形のものなど、いろいろな形の氷紋が生まれる。

2015.12.27 撮影 ロシア・イルクーツク

surface patterns on ice cover

レア度　インパクト　危険度　不思議度

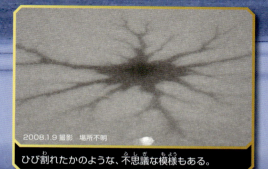

2008.1.9 撮影　場所不明

ひび割れたかのような、不思議な模様もある。

4章「雪と氷の驚愕世界」の大冒険

pancake ice

氷のうねりがもたらした不思議な氷

ハス葉氷

🔄 **現象**：水面にできたばかりの氷が、うねりでぶつかりあって端がめくれ、ハスの葉に似た形になったもの。

🌐 **スポット**：オホーツク海などで、流氷ができ始めたころ。

レア度	インパクト	危険度	不思議度

2016.2.22 撮影　北海道 紋別沖のオホーツク海

🌐 まわりがめくれた形
水面のうねりによってめくれた氷の形を、日本語ではハスの葉に見立てて「ハス葉氷」と呼ぶよ。ちなみに、英語では「パンケーキ・アイス」と呼ばれるんだ。

できたばかりの氷が水面のうねりに揺られ、氷どうしがぶつかり合うことで、氷のまわりの部分が少しめくれ上がる現象。このようにしてできた氷がハスの葉の形に似ていることから、「ハス葉氷」と呼ばれている。大きさは数十cmから数mと幅広く、厚さは10cmほどだ。

166

5章

「謎と神秘の宇宙世界」の大冒険

途方もなく遠い場所から来た旅人
彗星

- **現象**：太陽系にある氷やチリからできた小さな天体。太陽に近づくとぼんやり光る「コマ」と「尾」を出す。数兆kmの彼方から彗星はやって来る。
- **スポット**：彗星が太陽や地球のそばに来たとき。

1996.3 撮影 百武彗星 茨城県

最も近づいた彗星の一つ「百武彗星」。近づき遠のく変化が、毎日わかった。

大きさは数kmから数十km
そのサイズを聞くと、大きいと思うかもしれないが、地球の直径1万2742kmに比べると、とても小さな天体だ。

撮影日不明　場所不明

168

| レア度 | インパクト | 危険度 | 不思議度 |

地球から見える彗星には、ぼんやりと光る「コマ」と、そこから伸びる「尾」という部分が見える。ただコマや尾は、太陽に近づいたときにだけ出るもので、コマに隠れた本体は、チリや氷でできた雪玉のようなものだ。太陽に近づいて温度が上がると、雪玉の中の氷が蒸発したりガスやチリが出てきてコマや尾ができるんだ。

5章「謎と神秘の宇宙世界」の大冒険

「尾」は太陽の反対側に伸びる

彗星の「尾」は進行方向の後ろに伸びるのではなく、太陽の反対に伸びるんだ。空気がない宇宙空間には風も起こらないのに尾が伸びているのはなぜか？ 実は太陽の光にはものを押す力（圧力）があって、小さなチリ程度なら動かすことができるためなんだ。

彗星の尾は太陽の反対に伸びる
彗星
太陽
彗星の軌道

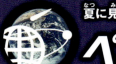

夏に見られるスケール満点の流星群
ペルセウス座流星群

- **現象**：ペルセウス座流星群は、ペルセウス座を放射点として発生する流星群のこと。
- **スポット**：8月13日ごろが流星の数が最も多い（極大日）。

❗3大流星群の一つ

ペルセウス座流星群は3大流星群の一つで、他に1月4日ごろが極大日のしぶんぎ座流星群、12月14日ごろが極大日のふたご座流星群がある。

1時間に流星が数十個

町の明かりや月明かりなどがなく夜空が暗い場所なら、1時間に数十個ほど流星が流れる。満月の日に近いほど流星は見えにくく、新月の前後は流星が見られるチャンスがアップする。

2013.8.7 撮影　ギリシア

Perseids

レア度	インパクト	危険度	不思議度

彗星の通り道（軌道）には、彗星から出たチリがたくさん残されている。地球がその軌道に入ると、彗星のチリが地球の大気に飛び込んで多くの流星となって見える。ペルセウス座流星群は、スイフト・タットル彗星が残したチリがもととなる流星群で、ペルセウス座の方向から放射状に流星が広がる。

🌐 空全体で見られる
流星はペルセウス座の方向から飛んでくるけど、空全体のいろいろなところで見られるぞ。ペルセウス座の方向が建物などで隠れていても大丈夫だ。

5章「謎と神秘の宇宙世界」の大冒険

'2013.8.12 撮影　アメリカ カリフォルニア州

アメリカ西海岸の砂漠から見たペルセウス座流星群と天の川。

猛烈な勢いで地球に衝突した巨大隕石の跡！

メテオクレーター

- **現象**：宇宙から飛来した天体が衝突した跡。写真は、アメリカ、アリゾナ州にある、隕石が衝突してできたクレーター。バリンジャー・クレーターともいう。
- **スポット**：アメリカ、アリゾナ州フラグスタッフ近郊。

重さ30万トンの隕石！
衝突したのは50mくらいの大きさの隕石で、重さはなんと30万トンもあったようだ。

撮影日不明 アメリカ アリゾナ州

クレーターを真上から見下ろしたところ。端から端までは1km以上だ。

撮影日不明 アメリカ アリゾナ州

172

Meteor Crater

レア度　インパクト　危険度　不思議度

地球上には、たまに宇宙から天体が落ちてくる。小さい天体だと、地上にたどりつく前に燃え尽きるが、大きな天体だと地表まで落ちてくる。それが隕石だ。そのときの衝撃でおわんのような形をした「クレーター」と呼ばれる地形ができる。メテオクレーターは、そんなクレーターの1つで、直径は1km以上ある。

秒速12kmで地球に衝突！
時速じゃなくて秒速だ。1秒間に12kmも進むというとんでもないスピードで衝突したんだ。

5章「謎と神秘の宇宙世界」の大冒険

隕石衝突は5万年前！

メテオクレーターができたのは、5万年前のこと。人類が石器を使ってくらしていたころの話だ。

宇宙からしか見られない謎の地形

アフリカの目（リシャット構造）

- **現象**：サハラ砂漠にある巨大な円形の地形。隕石衝突説もあったが、現在は、浸食でできたと考えられている。
- **スポット**：西アフリカのモーリタニア

直径およそ50km

50kmというと、大阪駅と京都駅の間の直線距離と同じくらい。東京23区なら余裕で入ってしまうほどの広さなんだ。

撮影日不明 モーリタニア アフリカの目

外側は幅が50kmほどあるため、飛行機から見ても全体をとらえられない大きさ。

2014.11.12 撮影 モーリタニア アフリカの目

Richat Structure

レア度	インパクト	危険度	不思議度

アフリカ大陸西部にある国・モーリタニアのサハラ砂漠に、アフリカの目と呼ばれる場所がある。宇宙からしか全体を見ることはできない、直径50kmほどの円形の地形だ。昔は隕石が衝突した跡ではないかと考えられていたが、その痕跡が見つからないため現在は否定されている。長い年月による浸食でできたと考えられている。

5章「謎と神秘の宇宙世界」の大冒険

宇宙から全体を見られる

とにかく大きいので、全体を見るには宇宙からでないと無理。自分の目で見ようと思ったら、宇宙飛行士になるしかないぞ。

世界各地で暴風雨を巻き起こす
台風

- **現象**：日本の南の熱帯地域の海で発生した熱帯低気圧で、最大風速が秒速17m以上のものを指す。
- **スポット**：東経180度より西側の北西太平洋などで発生。

南半球では渦が逆
北半球では台風は反時計回りに渦を巻くが、南半球のサイクロンは時計回りに渦を巻く。

場所によって呼び方が変わる
北東太平洋や北大西洋では、最大風速が秒速33m以上のものはハリケーンと呼ぶ。またインド洋などではサイクロンと呼ばれる。

2015.3.31 撮影 宇宙からの台風
写真：NASA

typhoon

レア度 ■■■□□　インパクト ■■■□□　危険度 ■■■■□　不思議度 ■■□□□

毎年、夏から秋にかけて日本列島にやってくる台風。中心には「目」がある。これは風が渦を巻いて回転するときの遠心力で、雲がまわりに追いやられてできるものであり、半径10〜数十kmにもなる。非常に大きい台風は、風速15m/sの範囲の半径が800km以上になることもある。これは本州全体が入ってしまうくらいの大きさだ。

5章「謎と神秘の宇宙世界」の大冒険

2012.9.3撮影、宇宙からの台風

天気予報などで見る台風は、気象衛星が上から見下ろしたものだ。

台風なのに晴れ？
台風の目がくっきりしているときは、台風の目に入った時には風が弱まり、晴れ間もでるんだ。

クラウドストリート

宇宙から見ると、まさに雲の道

- 現象：寒気が海上に吹き出すことでできるすじ状の雲の列。冷たい陸からの風と、比較的暖かい海の温度との差でできるんだ。
- スポット：冬の日本海など、陸地近くの海上でみられる。

冬の海は暖かい？

冬の海の水温が暖かいわけじゃない。海の水も冷たいけれど、陸地から吹いてくる風のほうがもっと冷たいため、温度に差が生じて、水蒸気が発生し、上昇気流で雲ができるんだ。

冬の日本海でよく見られる

冬はユーラシア大陸にできるシベリア高気圧から日本海の方へ北西の季節風が吹く。その季節風に沿って日本海でクラウドストリートが現れることがある。

2014.1.7撮影 大饗洋

178

cloud streets

レア度　インパクト　危険度　不思議度

寒い季節になると、陸地に近い海の上空に、すじ状の雲がたくさん並ぶことがある。陸地から冷たい風が吹いてくると、その風に比べると海の温度は高いため上昇気流が起きて、上空に積雲がたくさんできてすじ状に並ぶんだ。数百kmの長さになることもあり、雲が連なって並び、まさに雲の道ができあがるんだ。

撮影日不明　場所不明

下からクラウドストリートを見ると、どこまでもまっすぐ伸びるように見える。

気象衛星に写る
気象衛星ひまわりの画像によく写っているので天気予報などを注意深く見てみよう。

5章　「謎と神秘の宇宙世界」の大冒険

落ちてくる危険もある!? ひときわ明るい流星
火球

- **現象**：流星のなかで特に明るいものを火球という。地球のどこに突入してくるかはわからない。
- **スポット**：世界中で見られる可能性がある。

燃え尽きたり、分裂したりする
火球の中には、とちゅうで燃え尽きたり、いくつかに分裂して破片がそれぞれ光って見えたりすることもあるんだ。

2016.9.29 撮影　静岡県 田貫湖

fireball

| レア度 | インパクト | 危険度 | 不思議度 |

ときどき、ふだん見ている流星よりも、ずっと明るい流星が出現することがある。はっきりと分けられているわけではないが、マイナス4等級よりも明るいそんな流星を火球と呼ぶ。地球の大気に突入してくるチリの粒子が大きく、低い空まで降ってきて、明るくみえるんだ。

2013.2.15 撮影 ロシア チェリャビンスク州

ロシアのチェリャビンスク州の火球が爆発したところ。

5章「謎と神秘の宇宙世界」の大冒険

地上に落ちることもある

2013年、ロシアのチェリャビンスク州で目撃された火球は爆発して、破片が地上まで落ちてきたんだ。その衝撃波で、窓ガラスが割れたり、被害もあったんだ。

カルマン渦

障害物にぶつかると、何故か左右に渦が発生！

- **現象**：流れの中に障害物を置くと、その下流側に2列の渦が並んで作られる流体力学の現象。
- **スポット**：ポールについた旗などの風下側などで見られる。

旗がたなびくのもカルマン渦
旗がたなびくのは、旗竿の風下側にカルマン渦ができるからなんだ。

日本の近くにも出現
日本付近だと冬に屋久島や韓国の済州島などの風下側で、カルマン渦の雲が現れることがある。

2003.5.5 撮影　衛星からの写真
写真：NASA

Kármán's vortex

レア度　インパクト　危険度　不思議度

空気や水の流れの中に柱のような障害物があると、その下流側にいくつもの渦ができ、その渦の列のことをカルマン渦という。たとえば海上にある島に風が当たると、島の風下側にいくつも渦ができる。この現象は、海で起こったり、大気中で起こったり、さまざまな場所で発生し、宇宙の人工衛星から見えることもあるぞ。

1999.9.15 撮影　チリ ファン・フェルナンデス諸島上空
写真：landsat

雲で起こったカルマン渦を上空から見たところ。

5章「謎と神秘の宇宙世界」の大冒険

カルマン渦

柱状の障害物

流れ　　2列の渦

183

いつまでたっても夜が来ない!?
白夜

- **現象**：一日中太陽が沈まないこと。または、太陽が沈んでもうっすらと明るい夜を白夜と呼ぶこともある。
- **スポット**：北緯66.6度より北か、南緯66.6度より南の地域。

日本に住んでいると、朝には太陽が昇って夕方には沈んでいく。でも南極などでは1日中、太陽が沈まない白夜がある。白夜が起きるのは、地球が回転（自転）するときの回転軸が傾いているからだ。白夜になるのは夏だ。南極にある昭和基地では、11月下旬から1月下旬まで太陽が沈まない日である白夜がつづく（南半球にいくと日本とは季節が逆になる）。

南極点の白夜は半年つづく
緯度が高くなるほど白夜になる期間は長くなる。南極点や北極点では約半年間も白夜がつづくぞ。極夜も約半年間だ。北極点付近で夜が来ない白夜が起こると、南極点付近で昼が来ない極夜が起こっている。

太陽が出ない「極夜」
南極などでは、白夜とは逆に太陽が地平線の上に出てこない日もあるぞ。そういう日を「極夜」というんだ。極夜の時期の前後には、太陽が地平線すれすれをはうように動いていくぞ。

2003.9 撮影 南極

midnight sun

レア度	インパクト	危険度	不思議度

5章「謎と神秘の宇宙世界」の大冒険

2009 撮影 南極
写真：第50次南極観測隊

南極の太陽を24時間、1時間ごとに撮影した
ものを結合。夜がない。

見え方がこんなに変わる！
太陽と月の写真

日食って知っているかい？

うん、月が太陽を隠しちゃうことだね。

月が太陽の一部だけ隠すのは部分日食と呼ぶんだ。

部分日食

クッキーかじったみたい。

太陽と月がぴったり重なると完全に隠れてしまう**皆既日食**。太陽の端のほうがはみ出して環のようにみえるのが**金環日食**なんだ。

全部隠れちゃうと面白くないね。

そんなことはないよ。太陽が完全に隠れる直前に、ほんのちょっとだけ光がもれているのはとてもきれいなんだ。**ダイヤモンドリング**って呼ばれているんだよ。

でもなんで、皆既日食と金環日食があるの？

月と地球の間の距離が、時期によってちょと近かったり遠かったりするからなんだ。

月が遠いと小さくみえる？

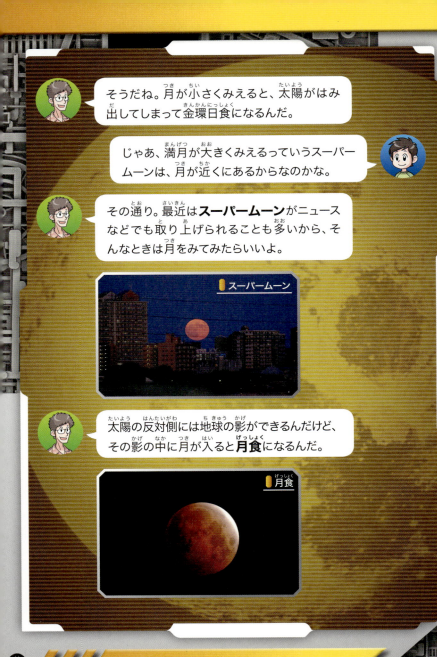

日食は太陽が真っ暗になるけど、月食だとちょっと赤いんだね。

太陽の光のうち赤い成分だけが、月に当たるから赤っぽくなるんだ。最後に1枚、変な月の写真を紹介しよう。

ゆがんだ満月

写真：NASA

わぁ、月が変な形をしているね。

これは国際宇宙ステーションが、宇宙から月を撮影した写真なんだ。南極のつぶれた満月（P144）と同じように、地球の大気のせいで月がゆがんでみえているんだ。

さくいん

あ

アイスバブル 162

アイスモンスター 148

アイスタワー 136

アスペラトゥス雲 20

アフリカの目（リシャット構造）... 174

イカリア島の稲妻 18

渦潮 102

オーロラ 46

御神渡り 160

か

海底火山 104

火映 86

火球 180

火災旋風 70

火砕流 98

火山灰 96

火山雷 80

カルマン渦 182

環水平アーク（ファイヤーレインボー）.... 62

環天頂アーク 60

キラウエアの溶岩 84

クラウドストリート 178

ケルビン・ヘルムホルツ雲 76

幻日 56

幻氷 156

さ

光環 78

シェルフ雲 34

しぶき氷 152

ジュエリーアイス 158

樹氷 146

蜃気楼 72

塵旋風（つむじ風） 68

彗星 168

水上竜巻 30

スカイパンチ（穴あき雲） 64

スノードーナツ（雪まくり） 126

スーパーセル 26

スプライト 22

た

台風 176

ダイヤモンドダスト 138

太陽柱 52

高潮 112

棚氷 128

血の滝 114

乳房雲 36

潮汐 118

天使の梯子 54

天割れ 57

トルネード 28

な
雪崩 124
波の花 108
虹色の温泉 116
熱水噴出孔 120

は
ハス葉氷 166
ハブーブ 24
肱川あらし 66
ビーナスベルト 58
白夜 184
氷河の大崩落 132
氷山 130
氷紋 164
ピンク色のヒリアー湖 110
ブリザード 141
プリニー式噴火 94
フロストフラワー 150
ブロッケン現象 44
ペニテンテ 134
ペルセウス座流星群 170
変形太陽 74
ポットホール（おう穴） 122
ポロロッカ（海嘯） 106

ホワイトアウト 140
ホワイトレインボー（白虹） 48

ま
マグマ 88
マラカイボの灯台 16
ムーンボウ（月虹） 50
メテオクレーター 172
モーニンググローリー 32

や
溶岩湖 82

ら
ラハール（火山泥流） 100
流氷 154
レンズ雲 38

監修者紹介　武田康男（空の探検家）
気象予報士。空の写真家。大学客員教授・非常勤講師。第50次南極地域観測越冬隊員。小中高校や市民向けに写真や映像を用いた講演を多数実施。本や雑誌等の執筆・監修・写真提供やテレビ等の出演・映像提供など。元高校教諭。
著書に『楽しい気象観察図鑑』『世界一空が美しい大陸　南極の図鑑』『雪と氷の図鑑』（草思社）、『雲の名前、空のふしぎ』（PHP研究所）、『いちばんやさしい天気と気象の事典』（永岡書店）などがある。

写真提供　武田康男、アフロ、国立極地研究所
イラスト　イシダコウ
執筆協力　岡本典明（ブックブライト）
装丁・本文デザイン　髙垣智彦（かわうそ部長）
編集協力　高橋淳二　野口武（JET）
校正　くすのき舎
DTP　編集室クルー

参考文献
『空の色と光の図鑑』（草思社）斎藤 文一／文　武田 康男／写真
『楽しい気象観察図鑑』（草思社）武田康男／文・写真
『【増補】平凡社版　気象の事典』（平凡社）浅井 冨雄・内田 英治・河村 武／監修
『氷の世界』（あかね書房）東海林 明雄／著
『新版　雪氷辞典』（古今書院）日本雪氷学会／編
『雪と氷の疑問60』（成山堂書店）日本雪氷学会／編　高橋 修平・渡辺 興亜／編著
『雪と氷の図鑑』（草思社）武田康男／文・写真
『世界一空が美しい大陸』南極の図鑑 武田康男／文・写真
『Q&A火山噴火127の疑問』（講談社）日本火山学会／編

気象庁
http://www.jma.go.jp/jma/index.html

国立天文台
http://www.nao.ac.jp　　など

地球の超絶現象最驚図鑑

監修者	武田康男	印刷	ダイオープリンティング
発行者	永岡純一	製本	大和製本
発行所	株式会社永岡書店		

〒176-8518　東京都練馬区豊玉上1-7-14
電話　03-3992-5155（代表）
　　　03-3992-7191（編集）

ISBN978-4-522-43485-7　C8040
乱丁本・落丁本はお取り替えいたします。③
本書の無断複写・複製・転載を禁じます。